D1274939

Globe-trotter

Jacques Leclerc

14 nov. 2015

Globe-trotter

à Hubert

Bonne lecture

Jacques Leclerc

Les Éditions au Carré inc.
Téléphone : 514 949-7368
editeur@editionsaucarre.com
www.editionsaucarre.com

Graphisme de la couverture : Quand le chat est parti... inc.
Mise en page : Édiscript enr.

Les Éditions au Carré désirent remercier la Société de développement des entreprises culturelles (SODEC) et le Fonds du livre du Canada (FLC) pour leur appui.

Société de développement des entreprises culturelles Québec

Dépôt légal :
1er trimestre 2014
ISBN : 978-2-923335-51-3 (version papier)
ISBN : 978-2-923335-52-0 (version numérique)

DISTRIBUTION
Prologue inc.
1650, boulevard Lionel-Bertrand
Boisbriand (Québec) Canada J7H 1N7
Téléphone : 1 800 363-2864
Télécopieur : 1 800 361-8088
prologue@prologue.ca
www.prologue.ca

À ma compagne Loulou,
le soleil de ma vie.

À mes trois fils,
Marco, Bruno, Jonathan,
qui sont mes meilleurs professeurs.

Et à mes petits-enfants,
Marilou et Laurent,
afin qu'ils connaissent
leur grand-papa globe-trotter.

Préface

Quelques mois après le retour de ma longue quête autour du monde, j'apercevais de temps à autre sur le Web cette image d'un homme marchant à l'horizon avec un bâton en main. Ce fameux bâton du pèlerin qui incarne la recherche de l'âme, l'évasion, ce goût incontournable pour la Vie de manière à laisser une empreinte de liberté dans le cœur des peuples. Puis un jour, j'ai eu la chance de croiser les pas de Jacques Leclerc. Nous avons fait connaissance lors d'un petit-déjeuner bien amical... tous les deux avides de repérer ce qui fait vibrer l'autre et l'inspire à la découverte. Nous avons pris le temps, il était curieux, je l'étais également comme tous ces découvreurs qui nous inspirent le monde.

J'ai pris ce précieux temps pour essayer de comprendre en profondeur son incroyable histoire. Assis à cette petite table de restaurant l'un en face de l'autre racontant nos aventures les plus rocambolesques, je buvais ses paroles généreuses à la mesure des gorgés de ce chaud café que je serrais entre mes doigts. Il s'est raconté comme un passionné à partir de ses origines jusqu'à ce jour. J'ai compris un homme sans tabous exprimant ses bons coups et ses déboires, ses amours et les violences dont il a été témoin. Dans son sourire permanent et dans ses yeux étincelants, j'ai vu un homme simple qui a toujours eu le courage de retomber sur ses pieds.

Ce qui m'a le plus impressionné, c'est son humilité qui à mon sens fait sa force. Malgré sa lutte pour la vie, Jacques Leclerc a préservé un profond respect pour les peuples. Il a bien mûri, il est un homme facile d'approche qui possède l'instinct de l'Humain. À mon avis, Jacques est une référence en matière de ce que je peux qualifier de tourisme minimaliste, vagabondant muni simplement d'un petit sac à dos, une sacoche en bandoulière et d'un appareil photo pour immortaliser les temples, la nature et les expressions du monde.

Simplicité, humour, profonde joie de vivre et grande ouverture d'âme ! Voilà ce qui caractérise cet homme qui observe avec amour ses frères où qu'ils se trouvent sur la planète.

JEAN BÉLIVEAU LE MARCHEUR

Prologue

Je suis Gaspésien de naissance
Mais un terrien de nature
Ma vie sans complaisance
N'est qu'une suite d'aventures
Pour réaliser un rêve d'enfant
J'ai voyagé sur tous les continents
Mon insatiable curiosité
A fait de moi un grand aventurier

Si aujourd'hui je viens à votre rencontre
C'est peut-être pour que je vous raconte
Des histoires à dormir debout
De pays très, très loin de nous

Ceci dit sans aucune prétention
Écoutez-moi avec attention
Mes propos peuvent vous étonner
Mais… laissez-moi vous raconter…

La scène se passe dans une salle de conférence quelque part au Québec :

« Mesdames et messieurs, je vous remercie de vous être déplacés pour assister à cette conférence de *Regard sur le monde*. Pour terminer, laissez-moi vous raconter une aventure qui m'est arrivée lors de mon voyage au Moyen-Orient en 2001…

Après une courte baignade dans la mer Morte, je décide de marcher sur la grève jusqu'au prochain village. En partant, je me rappelle avoir enjambé une petite clôture de fils barbelés. Cela ne me semblait pas très important. Le rivage est constellé de plaques de sel et jonché de rebuts de bois recouverts, eux aussi, d'une couche impressionnante de sel. Au loin, un paysage de petites collines sans la moindre parcelle de végétation. Pour vous situer, la mer est à ma droite, et une route passe à ma gauche. Au-delà de la route, sur la colline, je remarque un mirador, et il me semble y avoir aperçu un ou plusieurs hommes près de cette tour d'observation. Je n'y prête pas attention et je continue ma petite balade. Du coin de l'œil, je vois subitement un homme me faire de grands signes comme s'il voulait me chasser de la rive, comme si c'était interdit de marcher où je me trouve. Encore là, je n'y attache pas d'importance. Jusqu'à ce que j'entende le tir de ce qui me semble provenir d'une mitraillette. Alors, je m'arrête net. Je n'ai même pas le réflexe de me jeter par terre, mais je me retourne, les mains en l'air, pour faire face au soldat qui descend la colline en courant. Je revois l'image d'un homme dans la trentaine, en uniforme, une mitraillette Kalachnikov au dos qui, tout essoufflé, me demande de le suivre, ce que je fais sans hésiter. Ai-je le choix?

Il marche alors tranquillement derrière moi, tout heureux de reprendre son souffle. Nous nous rendons en haut de la colline, au mirador. Un autre soldat nous attend en fumant une cigarette. On me demande mes papiers. Aussitôt que je sors mon passeport canadien, je les vois sourire et s'écrier: « Hâ, Kanadian, fri-enne, fri-enne! » Ils m'offrent une cigarette que je refuse de façon courtoise et, posément, ils fouillent mon sac à dos. En me montrant la mer, ils m'expliquent dans un mauvais anglais que de l'autre côté de la mer Morte ce sont des ennemis. « Israël, ennemi. Toi, ami. Toi, pas marcher là. Toi, partir. O.K. O.K. »

Ai-je besoin de vous dire que je retourne sur la route rapidement et que je prends le premier bus pour rentrer à Amman.

Ceci termine la conférence. Nous passons maintenant à la période des questions. »

— Monsieur Leclerc, est-ce que vous allez écrire un livre sur vos voyages à travers le monde?

Je suis conférencier depuis une bonne dizaine d'années et, à la fin d'une causerie, très souvent les gens me demandent si je vais un jour mettre sur papier mes anecdotes de voyages et l'histoire de ma vie. Le personnage que je suis, debout sur la scène, ressemble plus à un Tintin des temps modernes qu'à un conférencier.

Eh bien, voilà, au moment où je commence l'écriture de ce livre, en février 2013, j'ai soixante-cinq ans et j'ai visité quatre-vingt-dix pays sur la planète. J'ai décidé d'écrire ce livre d'abord pour mes enfants afin qu'ils connaissent vraiment leur aventurier de père et, bien entendu, pour raconter les tribulations de mes périples à travers le monde.

J'ai l'impression d'écrire l'histoire d'un autre homme tellement ma vie me semble invraisemblable.

Jeté hors d'un train en Biélorussie, arrêté par des soldats en Sibérie, sauvé de justesse d'un attentat à la bombe en Turquie, ces péripéties ne sont que quelques-unes des aventures que j'ai vécues au cours de mes nombreux voyages. Ici même, rue Saint-Denis, à Montréal, j'ai vu deux hommes mourir sous mes yeux : Mario Hamel, un itinérant abattu par la police, et Patrick Limoges, un infortuné passant qui s'est retrouvé dans la ligne de tir. Dans les Laurentides, j'ai enjambé les corps encore chauds de trois membres des Rock Machines qui venaient de se faire tirer chacun une balle dans la tête.

Vous trouverez dans ce livre des centaines d'aventures parfois tragiques parfois « romantiques », vécues tant ici au Québec qu'ailleurs dans le monde. Il est difficile d'imaginer qu'un homme bien ordinaire a eu un parcours de vie aussi extraordinaire. Paradoxalement, à mon âge, je crains encore de manquer de temps pour réaliser tous mes projets et vivre toutes les aventures qui trottent encore dans ma tête.

Alors voilà, attachez bien vos ceintures : je vous amène, le sac au dos, sur la route de ma vie. Je vous préviens cependant que le voyage ne sera pas de tout repos…

Chapitre 1

Montréal, juin 2011, soixante-trois ans

On ne connaît pas sa date d'expiration

Je ne suis pas un athlète, mais j'aime quand même faire du sport le plus souvent possible. L'hiver, le ski de randonnée et, l'été, le vélo; effectivement, je fais beaucoup de vélo. J'ai eu l'occasion de faire le Grand Tour Vélo Québec à quelques reprises. Même à mon âge, j'ai assez d'énergie pour faire deux cents kilomètres de vélo dans la même journée. Il m'arrive encore de quitter mon domicile du centre-ville de Montréal à 5 h du matin pour me rendre à ma maison de campagne à Sutton, en Estrie; cent cinquante-trois kilomètres de pur plaisir pour le passionné de vélo que je suis. J'aime me lever tôt, habituellement entre 5 h et 6 h le matin. Tous les jours de beau temps, j'enfourche mon vélo pour rouler quelque trente ou quarante kilomètres avant de revenir à la maison déjeuner avec ma compagne.

Ce matin du 7 juin 2011, le soleil se lève à peine, et la journée s'annonce chaude et merveilleuse. Je quitte mon appartement du centre-ville et je décide de rouler rue Sainte-Catherine, sans destination précise, juste pour le plaisir de rouler. J'aime la senteur et la lumière du matin. Cette luminosité va changer durant la journée, alors il faut en profiter tôt.

Au cœur d'une fusillade

Juste après avoir traversé la rue Saint-Laurent, je remarque un nombre surprenant de déchets qui jonchent la rue. Il y a là quelque chose d'anormal. Regardant un peu plus loin, je vois un homme qui ramasse les sacs de vidanges, les traîne au milieu de la rue et qui, avec un outil (je saurai plus tard que c'était un couteau de chasse), les taillade et les vide sur place. Ceci m'oblige à contourner tous ces débris qui encombrent ma route. Arrivé près de l'individu, un homme plutôt grand avec les cheveux assez longs, je me rends compte qu'il semble étrangement calme malgré un comportement pour le moins bizarre.

Je lui dis: « Ça va pas bien dans le coco, ce matin? Problème, mon ami, problème? »

L'homme se dirige vers moi (je suis toujours à vélo) son arme à la main, et, toujours imperturbable, il me demande d'approcher, qu'il va m'expliquer son problème. Au même moment, je remarque d'autres personnes qui restent comme figées sur place, n'osant pas approcher l'individu. Je décide de m'éloigner et d'appeler le 911. J'explique la situation à la téléphoniste et je décris l'homme en question. Elle m'ordonne de m'éloigner le plus rapidement possible et me dit qu'elle envoie la police immédiatement. Je m'écarte quelque peu, mais je reste quand même proche afin de voir évoluer la situation. En moins de cinq minutes, trois policiers arrivent et encerclent l'individu, lui ordonnant de jeter son arme par terre. Ce qu'il refuse.

Il semble complètement perdu; les yeux hagards, il se met à marcher d'un pas plus rapide. Les policiers sur les talons, il se dirige droit vers moi comme si j'étais la source de ses problèmes. M'aurait-il entendu parler au 911? À plusieurs reprises, les policiers lui diront: « Mario, jette ton couteau! » De toute évidence, l'homme est bien connu des policiers. Tous se déplacent rue Sainte-Catherine en direction est, vers la rue Saint-Denis. À ce moment précis, je suis à l'angle de Sainte-Catherine et de Saint-Denis, dans la ligne de mire des policiers, quand abruptement Mario Hamel tourne rue Saint-Denis en direction sud.

Je décide de suivre le groupe. À quelque soixante ou soixante-dix mètres de la rue Sainte-Catherine, juste en face de l'UQAM, un des trois policiers tente d'arrêter le forcené avec du poivre de Cayenne. Le déséquilibré fonce alors sur ce policier avec son couteau et, au même moment, deux coups de feu retentissent. À l'endroit où je suis placé, à peu près à huit mètres de la tragédie, je vois Mario Hamel se crisper de douleur et s'écraser sur le trottoir, saignant abondamment. De la même place et au même moment, je vois un autre homme (Patrick Limoges), qui marche de l'autre côté de la rue, s'effondrer lui aussi sur le trottoir. Sur le coup, je crois qu'il s'est jeté par terre pour éviter les balles et je me trouve un peu ridicule d'être debout à côté de mon vélo surveillant la scène comme si c'était du cinéma. Mais parfois, comme vous allez le constater à la lecture de ce livre, ma vie ressemble étrangement à du cinéma.

Je reste sur place quelques minutes pour connaître la suite des événements. D'autres policiers arrivent en renfort. Les pompiers aussi. Puis les ambulanciers qui tentent de ranimer les deux hommes, Mario Hamel et Patrick Limoges, mais il est trop tard. Je vois littéralement ces deux personnes mourir sous mes yeux. Pendant que je quitte les lieux, les reporters de la radio et de la télé arrivent sur place. Je dois avouer que pendant plusieurs semaines ces images continueront de me hanter !

Quand même, fidèle à mes habitudes, je rentre à la maison pour déjeuner avec ma compagne. Assise à la table de cuisine, elle écoute l'animateur Claude Poirier relater les événements de la fusillade de la rue Saint-Denis. Aussitôt que Loulou, ma compagne, m'entend fermer la porte, elle me dit : « Mon amour, ne va surtout pas au centre-ville en vélo ce matin, il y a une fusillade. » Pendant que j'entends monsieur Poirier raconter sur le réseau TVA que les policiers du SPVM ne veulent pas lui donner de l'information sur l'événement impliquant leur corps de police, je décroche le téléphone et je dis à Loulou : « Moi, je vais lui donner les infos puisque j'étais au cœur de la fusillade. » Après mes aventures, je dis souvent à la blague que je ne vais pas les raconter à ma mère qui a quatre-vingt-cinq ans et toute sa tête. Cette fois-ci, même si je n'avais pas voulu le faire, je n'aurais pu l'éviter. Elle m'a vu aux nouvelles puisque j'ai passé toute cette semaine-là à donner des entrevues sur plusieurs réseaux de télévision. Ce qui m'a amené à l'émission *Denis Lévesque* au réseau TVA, et à l'émission *Enquête* de Radio-Canada avec la journaliste Madeleine Roy.

Sur les conseils de mon ami Florent Blanchard, un policier de la Sûreté du Québec à la retraite, j'ai téléphoné à ce corps de police pour leur donner ma version de ce tragique événement qui a fait deux morts. Le côté le plus triste de cette histoire, c'est qu'il y a eu une innocente victime, Patrick Limoges, âgé de trente-six ans. Cet employé de l'hôpital Saint-Luc se rendait tout bonnement à son travail et le sort a voulu qu'il se retrouve dans une ligne de tir. Une seconde avant ou une seconde après, il n'aurait pas reçu ce projectile et il serait retourné chez lui, le soir, raconter à sa famille qu'il y avait eu une fusillade sur son chemin, tout près de son lieu de travail. Mais enfin, quand notre heure a sonné… Je dis souvent qu'on a tous « une date d'expiration ». Dans le cas de Patrick Limoges et de Mario Hamel, ce dernier âgé de seulement quarante ans, c'était malheureusement à 6 h 55, le matin du 7 juin 2011. De mon côté, je l'ai échappé belle (encore une fois, comme vous le verrez par la suite) et j'ai l'impression d'avoir sept vies. Mais commençons par la première.

Chapitre 2

Gaspésie, le 22 février 1948

De la Gaspésie à Montréal

Né à Amqui dans la vallée de la Matapédia, en Gaspésie, le 22 février 1948, je suis le cinquième d'une belle grande famille de treize enfants. Mes parents ont « émigré » à Montréal alors que j'avais à peine sept ans. Parmi quelques souvenirs d'enfance de la Gaspésie, je me rappelle avoir habité une vieille maison dans le village de Saint-Vianney. En fait, j'étais « gardé » par mes grands-parents paternels en attendant que mon père trouve un logement assez grand pour toute une famille alors de neuf enfants. Je garde en mémoire les moments d'ennui où j'allais me réfugier dans la grange de mon grand-père. Je m'assoyais dans la voiture, m'imaginant conduire la jument de mon pépère jusqu'au village.

Autre souvenir, une procession de la Fête-Dieu où tout le village d'Amqui fut décoré de drapeaux jaune et blanc, couleurs de la papauté. Dans les années 50, l'Église catholique était très présente dans la vie des paroissiens et il ne fallait pas manquer la visite de Monsieur le Curé qui, de maison en maison, vérifiait si la maman « n'empêchait pas la famille ». Avec une progéniture de treize enfants, force est de constater que ma mère était très pratiquante. Elle avait probablement peur de brûler dans le feu de l'enfer si elle n'écoutait pas les recommandations de la très sainte Église catholique. Pendant que les prêtres vivaient dans l'aisance de leurs luxueux presbytères avec servante et voiture neuve, nos mères étaient tout simplement des « fabriques à bébés ». Je pense encore aujourd'hui que si le Québec a conservé sa culture et sa langue française, on le doit principalement à nos mères.

Je ne suis allé à la petite école d'Amqui que quelques jours, mais je me rappelle une petite maison blanche où une « maîtresse d'école » enseignait toutes les matières scolaires à une vingtaine d'enfants de la première à la septième année. Elles n'étaient pas syndiquées ces jeunes femmes, mais l'enseignement était pour elle une véritable vocation.

Ma mère, Cécile Lavoie, était la cinquième d'une grande famille de quinze enfants qui vivait sur une « terre à bois », dans le rang 7 à Saint-Vianney. Comme plusieurs jeunes filles de son époque, à quatorze ans, sa mère l'a envoyée travailler comme bonne dans une maison de gens mieux nantis à Amqui. Pour ses parents, Marie-Ange et Adélard, ça faisait une bouche de moins à nourrir et la petite rapportait en plus quelques sous pour contribuer aux dépenses des plus jeunes, donc une double économie !

Comme toutes les adolescentes, Cécile voulait rencontrer le prince charmant le plus tôt possible afin de quitter cette vie de misère, de froid et de labeurs, insupportable pour une jeune fille frêle et très jolie. Malgré une grande pauvreté, ma mère a toujours été une femme fière de sa personne et très coquette.

Damase, mon père, vivait dans le petit village de Saint-Vianney dans la maison paternelle. Son père était le meilleur gars du monde, mais il souffrait d'une terrible maladie : il était alcoolique jusqu'au dernier degré. Grand-maman, Rose-de-Lima, et ses neuf enfants ont toujours souffert de cette terrible condition de vie. Tout l'argent qui entrait dans les poches du paternel était très rapidement dépensé dans tous les hôtels qu'il trouvait sur sa route. Quand mon grand-père Octave était trop saoul pour tenir sur ses jambes et, surtout, quand il n'avait plus un sou dans ses poches, le propriétaire de l'établissement le traînait à l'extérieur où l'attendait son cheval, attelé à la voiture. Ensuite, il l'assoyait tant bien que mal sur le siège, et le cheval, qui lui était littéralement à jeun, rentrait tranquillement à la maison où l'attendait ma grand-mère, Rose-de-Lima. Plusieurs enfants dans la famille de mon père furent affligés de la même maladie. Je dois avouer qui si mon père a connu des problèmes avec l'alcool dans les premières années de son mariage, il a dû surmonter cette maladie puisque je n'ai jamais vu, de toute ma vie d'adulte, mon père avec une bouteille de bière dans ses mains. Papa avait beaucoup de volonté pour arriver à ses fins.

C'est lors d'une fête au village que Damase, charmeur et bon danseur, invita la belle Cécile à danser. Au dire de mon père, Cécile était la plus belle femme de toute la Gaspésie. Pour lui, ce fut le coup de foudre, mais il avait beaucoup de concurrents et, selon ma mère, la conquête ne fut pas facile, mais il finit par réussir. Mon père ayant fait son service militaire, mes parents, une fois mariés, s'installèrent à Amqui dans une belle maison neuve construite grâce à une subvention du gouvernement canadien pour récompenser les soldats ayant servi dans l'armée de Sa Majesté.

Dès son jeune âge, Damase devint un entrepreneur. Contrairement à son père, il fut un homme très responsable. Sachant à peine lire et écrire, il possédait une imagination sans bornes pour démarrer des affaires. Ne pouvant accepter les ordres de patrons, il devait travailler presque toute sa vie de façon autonome. Avec l'encouragement et l'appui de Cécile dans tout ce qu'il entreprenait, entre autres projets (et il en aura beaucoup), Damase ouvrit un restaurant à Amqui. Ce sera rapidement un grand succès; une épicerie suivra et, avec un camion rempli de provisions, papa fera régulièrement le tour de la Gaspésie pour vendre un peu de tout. Quand je dis tout, ça comprendra des cigarettes de contrebande, de la margarine, interdite à l'époque, et même de l'alcool frelaté. Il se moquera de la police provinciale (la Sûreté du Québec de l'époque) à plusieurs reprises, et il se fera un malin plaisir de nous raconter, à nous, ses enfants, ses histoires de contrebandier se baladant dans toute la Gaspésie avec des chargements de cigarettes et de margarine cachés sous les sièges de son véhicule.

Papa fut un entrepreneur extrêmement travaillant, mais pas doué pour l'administration, trop mou avec ses employés et trop naïf avec ses amis. C'est ma mère Cécile qui fut la femme d'affaires, le mettant en garde contre ses prétendus copains. Mais, à cette époque, les hommes n'écoutaient jamais les conseils de leurs épouses: les femmes n'avaient pas droit de parole, même pas le droit de vote! Après avoir connu un grand succès – il fut le premier à s'acheter une voiture neuve à Amqui –, il s'est retrouvé en faillite. C'est à ce moment que Damase décida de tourner la page sur la Gaspésie et avec l'appui de Cécile, qui l'accompagnait toujours dans ses projets, de tenter sa chance dans la grande ville de Montréal. En 1955, avec déjà neuf enfants et un autre en chemin, mes parents ne manquaient pas de courage, mais il en faudra beaucoup pour passer à travers les difficultés qui les attendaient.

Comme toutes les grosses familles québécoises, nous sommes très pauvres et, à notre arrivée à Montréal, mon père déniche un petit logement à l'angle des rues Poupart et Sainte-Catherine dans un des quartiers les plus défavorisés de la ville, « le Faubourg à m'lasse[1] ».

Arrivé à Montréal à l'âge de huit ans, je suis un enfant timide et chétif. On m'inscrit en deuxième année à l'école, mais, comme je n'avais pratiquement pas fait de première année, il en résulta un éternel retard scolaire. À l'école Champlain, à l'angle des rues Fullum et Logan (à l'époque, en face de la prison des femmes qui sera ensuite démolie afin de construire le quartier général de la Sûreté du Québec), mon jeune frère, Claude, et moi sommes de véritables étrangers, pas tellement habitués aux coutumes des Montréalais. Même très jeunes, nous sommes vite confrontés aux gangs du coin

1. On appelait autrefois le Centre-Sud « le Faubourg à m'lasse », en référence à ses usines de mélasse aux puissants effluves. Dominé par le pont Jacques-Cartier, ce quartier est situé près du port de Montréal.

et aux matamores de l'école qui ne cherchent qu'à s'imposer aux nouveaux arrivants que nous sommes.

Très vite, mon frère et moi sommes forcés de nous battre pour faire notre place. Voici d'ailleurs une anecdote dont je ne suis pas peu fier. Vers l'âge de douze ans, alors que je joue au ballon-chasseur dans la cour d'école, je suis agressé sournoisement par la terreur de l'école, un garçon plus vieux que moi de quelques années. Dans un geste d'autodéfense ou de nervosité, d'un seul coup de poing chanceux, je terrasse le plus terrible chef de gang du quartier (je vais taire son nom pour ne pas l'humilier davantage). À partir de ce moment, je deviens « l'homme à battre ». Pas besoin de dire que ceci n'aidera en rien mes études déjà médiocres. La seule victoire scolaire dont je peux me vanter, c'est d'avoir gagné le concours d'art oratoire Optimiste qui était organisé par le club du même nom dans toutes les écoles de la Commission scolaire de Montréal. Je suis le gagnant de mon école, mais, aussi, dois-je le mentionner, le seul participant ! M'enfin, peut-être que c'était le prélude d'une carrière de conférencier ?

D'autres événements marqueront aussi mon enfance. Je suis un enfant plein d'énergie et j'aime tous les jeux. Encore aujourd'hui, à soixante-cinq ans, je me tiraille avec mes enfants et j'aime encore jouer au ballon-chasseur. À cette époque, les jeux électroniques n'existaient pas et notre passe-temps préféré était le jeu de cowboys et d'Indiens avec des fusils en plastique ou en bois. Un jour que je pratique ce jeu avec un ami, un dénommé Gravel (j'ai oublié son prénom), dans le parc Frontenac, situé sur la rue du même nom, je cours derrière lui et ce dernier, voyant que je vais le rattraper, s'élance dans la rue sans regarder. Je vois toujours le taxi frapper de plein fouet mon ami qui vole dans les airs pour être heurté à nouveau par une voiture venant en sens inverse. Je suis sous le choc, mais le pire est à venir. On avertit sa mère qui accourt sur les lieux de l'accident et la scène qui se déroule devant moi restera à jamais gravée dans ma mémoire. On recouvre l'enfant d'une couverture, il y a du sang partout, sur les deux voitures et sur le pavé, une mère en crise qui veut voir son fils de neuf ans, et les amis et parents qui tentent de la retenir. Très jeune, pour ne pas dire trop jeune, j'ai pu voir et ressentir la douleur d'une mère qui perd son enfant. Aujourd'hui, cinquante ans plus tard, j'ai encore des frissons en racontant cette histoire.

À la même époque, je dois avoir dix ou onze ans, quelques amis et moi jouons à la cachette dans la cour d'une usine située rue de Montigny (qui deviendra le boulevard de Maisonneuve) à l'angle de la rue d'Iberville. Cette cour pratiquement abandonnée sert aussi de dépotoir où s'entassent, entre autres objets, de vieux frigos. Il faut se rappeler qu'à l'époque les portes de réfrigérateur fermaient avec une grosse poignée de métal et ne s'ouvraient que de l'extérieur. Un amateur de jeu de cachette s'enferma dans un de ces vieux frigos. On le retrouva deux jours plus tard… mort. C'est à partir d'accidents semblables que les manufacturiers de réfrigérateurs ont installé sur leurs appareils des portes plus sécuritaires.

Il est intéressant de mentionner que, dans les années 50 et 60, il n'y avait pas dans les écoles, comme c'est le cas aujourd'hui, des psychologues pour aider les enfants qui vivaient des événements dramatiques comme celui-ci. Mais savez-vous quoi ? On a tous survécu, on n'a pas fait de dépressions et on a continué à jouer au cowboy et à la cachette. De nos jours, après un drame, on envoie une équipe de spécialistes et de psychologues pour prêter assistance aux enfants et aux parents.

Ce qui me fait me demander si ces précautions sont vraiment nécessaires. Je me dis parfois que les enfants d'aujourd'hui sont surprotégés. Est-ce qu'on les prépare vraiment à affronter la vie ?

Vous vous rappelez sûrement les exercices d'évacuation à l'école. Au moins une fois pendant l'année scolaire, les sonneries d'urgence démarraient et tous les élèves se mettaient en rang ; sans panique et dans l'ordre, on descendait les escaliers de secours pour se rassembler dans la cour d'école sous l'œil averti des pompiers. De nos jours, on a remplacé l'exercice d'évacuation par un protocole en cas d'entrée d'une personne armée dans l'école. Autre époque, autres mœurs, mais pas pour le mieux.

Vers la même époque, c'est moi qui suis victime d'un accident, somme toute mineur, mais qui aurait pu avoir des conséquences tragiques. Il arrive alors que je roule à vélo avec un ami assis sur « la barre ». Puisque nous sommes tous pauvres dans notre quartier, il est habituel d'embarquer un ami sur le même vélo en l'assoyant de côté sur le cadre central du vélo. Or, par un beau dimanche matin ensoleillé, mon ami, Jean-Pierre Lamontagne, et moi revenons d'une balade au parc Lafontaine par la rue Sherbrooke. Comme nous habitons beaucoup plus bas, près de la rue Notre-Dame, je dois descendre une côte abrupte, rue Fullum. Quand nous sommes rendus à l'intersection de la rue Rouen, les freins du vélo lâchent ; Jean-Pierre saute en bas du vélo en marche et, moi, je vais m'écraser tête première sur une clôture de métal. Nul besoin d'ajouter que le choc est brutal. J'ai le crâne ouvert d'une oreille à l'autre. Je suis terriblement étourdi, mais je reste conscient.

L'accident se passe un dimanche, juste en face d'une église. Une première voiture s'arrête, une dame en descend et me voyant dans une flaque de sang, elle s'effondre sans connaissance tout à côté de moi. Une deuxième voiture s'arrête et, à son tour, un homme descend de l'auto accompagné de sa femme. La dame, probablement une infirmière, referme la plaie de sa main pendant que son mari va chercher une serviette. Elle me prend dans ses bras et, sur les genoux de la dame, le couple me conduit à l'hôpital Notre-Dame à cinq minutes de l'accident. Je vais passer six heures, conscient, sur une table d'opération à me faire coudre le cuir chevelu, mais par une chance extraordinaire, je n'ai pas de fractures. Toute ma vie, je vais tenter de retrouver, sans y parvenir, ce couple qui m'a probablement sauvé la vie. Ces gens ont sûrement pensé que je n'avais pas survécu à cet accident tant j'avais perdu de sang sur le trottoir. Comme tous les jeunes super-actifs, il m'arrivera bien d'autres accidents de vélo, mais jamais aussi graves que celui-ci.

Parlant de vélo, j'ai un souvenir très clair dans ma tête. Pour ceux qui connaissent Montréal, il y avait jusqu'à la fin des années 70, à l'angle des rues Sherbrooke et Dickson, le restaurant Sambo. L'architecture de la bâtisse se voulait une copie d'un palais de maharajah en Inde. Jeune, j'étais totalement fasciné par cette bâtisse à un point tel qu'avec mon vélo, je partais du Faubourg à m'lasse pour me rendre rue Sherbrooke et là, je pouvais rester plusieurs minutes à contempler ce faux palace qui avait une certaine ressemblance (je dis bien une certaine) avec le Taj Mahal.

C'est à partir de ce souvenir que j'ai créé la conférence *De Montréal au Taj Mahal*, l'histoire d'un p'tit gars élevé dans un quartier misérable de Montréal qui rêve d'aller en Inde un jour voir le Taj Mahal. Tout un rêve… qui devait se réaliser !

Chez les Cadets de l'air

Laissez-moi vous raconter une anecdote : vers l'âge de quinze ans, deux de mes amis, Gilles Villeneuve et Daniel Forest, s'enrôlent dans l'escadrille 622 des Cadets de l'air, à l'époque située boulevard Saint-Joseph. Je décide de les suivre et de m'enrôler à mon tour. Pour un jeune garçon, marcher dans les rues du faubourg dans un bel uniforme de l'Aviation royale canadienne, c'est très valorisant. Dès le début, je prends goût aux exercices militaires et je vais même demander à faire partie du groupe d'élite. Ce cercle restreint de cadets participe à la très populaire parade annuelle de la Saint-Patrick au mois de mars à Montréal. Bien entendu, plusieurs cadets veulent faire partie de l'événement. Dans le cadre des activités de fin de la saison vient le temps d'évaluer nos progrès. Tous les cadets devront passer des examens d'aptitudes, théoriques et physiques, afin d'obtenir, s'il y a lieu, un grade supérieur. En ce qui nous concerne, mes amis et moi, nous nous préparons très sérieusement à l'examen pour obtenir le grade de caporal. Les dirigeants nous remettent des informations (en anglais, bien sûr) concernant la Royal Canadian Air Force et tout un livre de commandements à apprendre par cœur, toujours en anglais. Je ne parle pas un mot de cette langue.

Comme mentionné précédemment, le moins que je puisse dire, c'est que la partie théorique n'est pas ma force. Comme je suis, en quelque sorte, en compétition avec mes coéquipiers (seulement quelques recrues obtiendront un grade supérieur) je travaille d'arrache-pied à tenter de lire, de comprendre et, surtout, de retenir par cœur tous les commandements. Le jour fatidique arrive trop vite et je suis extrêmement nerveux, sachant les piètres résultats que j'obtiens habituellement à l'école. Après coup, nous discutons, mes amis et moi, et nous tentons d'évaluer nos chances d'obtenir le rang de caporal. Les résultats doivent être divulgués lors d'une grande fête de remise des grades à la fin de la saison, juste avant les vacances d'été.

Les cadets les plus méritants auront la chance d'aller passer deux semaines au Collège militaire royal de Saint-Jean-sur-Richelieu. Pour faire de la remise des diplômes un succès, la direction demande à tous les cadets de l'escadrille d'inviter parents et amis à cette fête qui promet d'être grandiose. Même si je ne fonde aucun espoir d'obtenir mon grade de caporal, je décide d'inviter ma mère à la soirée. Je sais très bien que mon père est beaucoup trop occupé par son travail. Il ne viendra pas. Puisque tous les cadets doivent se présenter très tôt afin de préparer la cérémonie, ma mère me promet qu'elle me rejoindra sur place, accompagnée de ma grande sœur, Denise, à temps pour la remise des grades.

Dans l'immense manège militaire, on a installé des gradins et, assez tôt, les parents commencent déjà à s'y installer afin d'assister à une démonstration de parade militaire que leurs enfants ont pratiquée pendant de longues semaines. Mon uniforme est impeccable, mon badge en laiton brille de tous ses feux ; j'ai tellement frotté mes souliers noirs que l'on pourrait presque se mirer dedans ! Il faut dire que je suis extrêmement fier d'avoir été choisi pour faire partie du groupe d'élite, car nos uniformes sont tellement plus beaux. Juste avant que ne commence notre parade, je jette un coup d'œil dans les gradins pour voir ma mère, mais je ne la trouve pas.

Pour ce grand soir, la performance du groupe d'élite fut d'une précision frôlant la perfection. Nous en étions tellement fiers ! On nous accorde quelques minutes de pause avant la remise des distinctions. Encore là, mon regard se tourne vers les gradins et, à mon désarroi, ma mère ne s'y trouve pas. M'enfin... La cérémonie commence.

Je dois avouer que le décorum est très impressionnant surtout pour des adolescents du Faubourg à m'lasse. Le commandant de l'escadrille 622 accompagné des hauts gradés de la R.C.A.F. (Royal Canadian Air Force) est sur une immense tribune. Après les discours ennuyeux habituels et les remerciements aux parents présents à cette soirée commence la collation des grades. En entendant son nom, le cadet qui a réussi l'examen et obtenu son grade sort alors du rang et, comme dans le film *An Officer and a Gentleman*, il se rend d'un pas militaire à la tribune chercher sa récompense. Mes amis, Daniel et Gilles, ainsi que quelques autres cadets obtiennent le grade de caporal. Je les vois, tout fiers, monter sur la tribune et recevoir les honneurs sous les applaudissements de leurs parents. Quand le commandant mentionne qu'il en a terminé avec le grade de caporal, sans avoir mentionné mon nom, mon cœur est en mille miettes, j'ai peine à retenir mes larmes. Finalement, je suis soulagé que ma mère ne soit pas venue.

Alors commence la remise des grades de sergent et il n'y en a pas beaucoup, trois seulement. Pour ma part, je suis humilié : mes amis ont obtenu leur grade et moi pas. Je m'enferme dans ma bulle, en fait, je ne suis plus là. Le commandant parle et je n'entends rien ou presque rien. Il me semble pourtant avoir vaguement entendu une phrase qui commence par : « Ce soir, comme chaque année, nous décernons le trophée de l'excellence à un cadet de l'escadrille 622 qui s'est distingué par son travail, sa discipline et son esprit de leadership au sein du groupe. » Mais je suis tellement loin que je ne comprends même pas la dernière partie de sa phrase : « Ce cadet a obtenu la plus haute note jamais vue lors de l'examen pour l'obtention du grade de caporal. Nous, les membres de la direction, avons décidé de lui donner non pas le grade de caporal, mais bien le grade de sergent, et je demande à ce cadet de bien vouloir monter sur la tribune afin de recevoir sa promotion ainsi que le trophée de l'excellence. Et j'ai nommé le cadet Jacques Leclerc. »

Je ne bouge pas. Je crains d'avoir mal compris. Je ne veux pas avoir l'air stupide, je demeure donc dans le rang. « Est-ce que le cadet Jacques Leclerc est présent dans la salle ? » Une, deux, trois secondes et c'est le silence total. Je sors finalement de ma léthargie et, sous les applaudissements de la foule, je me dirige d'un pas militaire (maintenant très, très, fier) chercher mon grade et mon trophée. Je me rappelle aussi, en descendant de la tribune, avoir cherché du regard la présence de ma mère ; malheureusement, elle n'y était toujours pas. À l'instar des autres jeunes, j'aurais tant aimé qu'elle soit là.

Le petit garçon raté que j'étais aurait tellement voulu montrer à sa mère que lui aussi était capable d'accomplir de grandes choses. M'enfin… Elle finira par arriver après la remise des grades, et elle terminera quand même la soirée avec son fils dont elle fut très fière ce soir-là.

Que l'on soit jeune ou moins jeune, l'homme a et aura toujours besoin de la reconnaissance et de l'appréciation des autres. C'est un des besoins fondamentaux de tout être humain.

Chapitre 3

La shop de mon père, 1956, douze ans

Une adolescence difficile

Malgré un taux de délinquance juvénile très élevé dans notre quartier, nos parents ont réussi à donner à leurs treize enfants une éducation stricte et le sens des responsabilités. Beaucoup de mes compagnons d'école n'ont pas eu cette chance et se sont retrouvés en prison dès l'adolescence. Il m'est arrivé souvent de voir dans le journal *Allo Police* des photos de camarades de classe et ce n'était pas parce qu'ils avaient gagné la médaille d'honneur du cardinal Léger.

Pendant que mes frères et sœurs ont beaucoup de succès à l'école, de mon côté, c'est la catastrophe. Je suis désormais «un élève en difficulté d'apprentissage scolaire». À l'époque où j'ai fait mon cours primaire, il y avait une coutume scolaire qu'on appelait «monter par charité». Les élèves qui, tout comme moi, n'avaient pas la note de passage, soixante pour cent, et qui, dans bien des cas, avaient déjà redoublé une année, eh bien, on les faisait passer quand même au niveau scolaire suivant. Je dois avouer que j'ai abusé (!) de cette pratique. Finalement, à la fin de mon cours primaire, la septième année à l'époque, comme je dois redoubler encore une fois, mon père me suggère fortement de laisser l'école et de travailler à la shop.

Mon père était un entrepreneur d'une ténacité et d'un courage exceptionnels. Travaillant, responsable, comme beaucoup d'hommes de sa génération, il n'était pas allé à l'école bien longtemps, se limitant à sa troisième année du primaire. Ayant appris le métier de machiniste pendant son service militaire, il ouvrit un petit atelier rue Sainte-Catherine, près de la rue Poupart, dans le Faubourg. Toute ma vie, cet atelier s'appellera la shop. On y faisait la réparation de tout ou presque : de la lessiveuse (que nous appelions *moulin à laver*) aux grille-pain en passant par les automobiles et les bicyclettes. La plus grande fierté de mon père et son espoir étaient de voir ses enfants, surtout ses garçons, travailler avec lui dans sa shop et éventuellement prendre sa relève. Si mes frères, à l'exemple de mon père, sont très habiles de leurs mains, de mon côté c'est la catastrophe. J'endommage les outils, je brise au lieu de réparer les choses et, finalement, plutôt que de refaire constamment le travail derrière moi, mon père, découragé par mon manque de dextérité, me donne une promotion en m'affectant à l'entretien ménager. Pas besoin de dire que je suis humilié et que je déteste la shop. Je vais la détester toute mon adolescence.

Je suis tellement malheureux que je décide, à l'âge de dix-sept ans, et sans le dire à mes parents, de m'engager dans l'armée de l'air, la Royal Canadian Air Force. Comme mentionné précédemment, à l'adolescence, j'avais fait partie des Cadets de l'Air.

Bien décidé, je me rends à ses bureaux de recrutement situés à l'angle des rues Bishop et Sainte-Catherine et, malgré ma grande nervosité, je demande une entrevue. Je passe quelques examens physiques et, finalement, les tests d'aptitude à la carrière militaire. Alors que je quitte le bureau, le commandant me dit tout simplement que l'on me rappellera s'il y a lieu. On ne m'a jamais rappelé. Mon orgueil en prend un coup. Je ne veux pas retourner à la shop et, avec mon ami Jacques Roy, je déguerpis en Ontario afin de travailler dans les plantations de tabac. Le travail n'est pas facile, je ne parle pas un mot d'anglais, mais je me sens enfin utile à quelque chose et, surtout, la paye est bonne. De toute manière, je ferais n'importe quoi pour ne pas travailler à l'atelier paternel. Une fois de retour au Québec, il n'est plus question que je retourne travailler avec mon père.

À dix-huit ans, débardeur au port de Montréal

À partir de l'âge de dix-huit ans, je n'habite plus chez mes parents. En fait, dès mon retour des plantations de tabac, je ne retourne plus vivre avec ma famille. Avec mes amis, Daniel Forest et Jean Dugas, qui font partie de mon groupe de musiciens, nous décidons d'aller vivre en appartement. On loue un logement dans un édifice nouvellement bâti, rue Sainte-Catherine Est, près de la rue Frontenac. La décision d'aller vivre en « apparte » était une étape importante pour un adolescent, d'autant plus qu'à cette époque la coutume voulait que les jeunes hommes (et bien entendu encore plus les jeunes filles) demeurent à la maison paternelle jusqu'au jour de leur mariage.

Je fus d'ailleurs le premier membre de la famille à quitter le foyer avant cette étape. Comme il faut bien payer le loyer, mon ami, Jean Dugas, me propose de travailler avec lui au port de Montréal comme débardeur au quai numéro soixante-huit. Un matin, il m'invite à le suivre pour une journée d'essai dans ce nouveau métier. Un mot pour vous expliquer comment se déroulait à l'époque une journée dans le port. En 1966, il n'y avait pas de conteneurs et tous les bateaux étaient chargés et déchargés à bras à l'aide de treuils qui descendaient les caisses jusque dans la cale du bateau. Pour faire ce travail efficacement, les travailleurs devaient fonctionner par équipe de huit hommes. Une équipe descendait dans la cale du bateau et l'autre restait sur le quai. Des tracteurs munis de remorques sortaient la marchandise des entrepôts vers le quai et là, l'équipe plaçait le matériel sur une palette de bois, qui était par la suite descendue dans la cale du bateau.

Le puissant syndicat du port de Montréal exigeait des patrons que les débardeurs travaillent obligatoirement par équipe de huit hommes. Moi et plusieurs autres jeunes hommes, nous nous rendions attendre à la shed soixante-huit et là, s'il manquait un homme dans une équipe, le contremaître choisissait parmi nous un remplaçant, non syndiqué, comme travailleur pour compléter un groupe de travail. On nous appelait d'un qualificatif pas très élogieux, les

« seineux[1] ». Pas besoin de dire que les plus travaillants parmi ces derniers étaient engagés plus rapidement et plus souvent.

Comme j'étais un de ceux-là, je ne manquais pas de travail. J'étais toujours choisi parmi les premiers pour compléter les équipes, mais mon ardeur devait un jour me causer des problèmes. Je disais plus haut que le syndicat des débardeurs était très puissant. Les dirigeants syndicaux avaient évalué que pour décharger un bateau d'un tonnage donné, il fallait, disons, seize heures, même si cela pouvait se faire en douze ou quatorze heures : le puissant syndicat des débardeurs avait statué que ce travail prenait seize heures, point final. La même approche existait aussi pour décharger les wagons de chemin de fer : un wagon de caisses de lait en boîte devait prendre huit heures, pas une de moins. Mes amis « seineux » et moi, non syndiqués et fort travailleurs, on pouvait le faire facilement en cinq heures.

Les « syndicaleux » n'aiment pas les gens trop travaillants.

Alors, un jour comme tant d'autres jours, je conduis un tracteur qui transporte la marchandise de l'entrepôt jusqu'au quai. Comme j'adore cette tâche, je travaille efficacement. Aussitôt chargé, aussitôt déchargé, et je m'amuse comme un ado… à travailler. On peut deviner qu'à mon rythme de travail, on va le charger le bateau, et vite, bien trop vite. Personnellement, je ne mêle pas souvent aux travailleurs autres que mon ami, celui qui m'a amené au port. Alors, un jour – je me rappelle tellement cette belle journée –, voulant profiter des premiers jours de chaleur du printemps, je

1. Note de l'éditeur : selon le *Dictionnaire des canadianismes*, *seineux* se dit de quelqu'un qui, à l'écart, passe du temps à écornifler

m'assois par terre, le dos collé à la shed, pour manger mon lunch, la tête penchée sur un bon livre.

Tout à coup, en levant les yeux de mon livre, je remarque huit bottes de travail devant moi. Regardant un peu plus haut, je vois, vous avez deviné, quatre hommes qui avaient davantage l'air de Hell's Angels que d'enfants de chœur. Je suis toujours par terre quand l'un d'eux, en donnant un petit coup de pied sur mes bottes de travail, me demande: « Aie, Leclerc, aimes-tu ça, ta job, toé? » Je lui réponds en bravade: « Oui, comme un p'tit fou. » En donnant un autre coup de pied un petit peu plus fort, un autre « Hell's » me dit: « Nous autres, on haït ça, les p'tits comiques comme toé... (À cette époque, je mesure 1 m 78, mais je ne pèse à peine que 63 kg. Torse nu, on peut facilement compter mes cotes flottantes). « T'sé Leclerc, au bord de l'eau, un accident est si vite arrivé... Un ti-cul comme toé peut tomber dans le fleuve... S'y va trop vite avec son tracteur. Compris le message, Leclerc? » À ce moment-là, bien honnêtement, j'ai eu plus de colère que de peur.

Quand, quelques jours plus tard, j'ai raconté cette aventure au contremaître qui m'aimait bien, il m'a conseillé de ralentir la cadence en me disant que les beaux jours de cette mafia syndicale tiraient à leur fin. Les patrons avaient déjà fait des plans pour l'installation d'un système de conteneurs motorisés. Quelques années plus tard, effectivement, il ne restait presque plus de débardeurs au port de Montréal.

Un fait qui ne m'a pas tellement étonné: à la suite de ce changement, le vol de marchandises au port de Montréal est tombé presque à zéro. Je me rappelle qu'un jour, en travaillant dans la cale d'un bateau, tous les débardeurs en étaient ressortis avec des bottes de travail flambant neuves. Je ne dis pas que tous les débardeurs étaient des voleurs. Il y avait, parmi cette classe de gens peu instruits, de bons pères de famille qui prenaient soin de bien élever leurs enfants et de les envoyer à l'école le plus longtemps possible afin qu'ils n'aient pas, comme leur père, à travailler comme débardeur au port de Montréal. Aujourd'hui, à chaque fois que je passe en voiture devant le centre d'entraînement des pompiers, rue

Notre-Dame, je me rappelle que derrière cette bâtisse, il y a le quai soixante-huit où j'ai eu à me battre, même physiquement, pour me faire une place dans un monde de fiers-à-bras, mais qu'il s'y trouve aussi de joyeux lurons qui aimaient bien jouer aux « cartes à l'argent », comme Loto Québec et le casino n'existaient pas à cette époque. Certains y perdaient leurs payes et même parfois leurs voitures neuves.

L'hiver arrive et le port de Montréal ferme en raison des glaces sur le fleuve. Je décide de ne pas rester sur l'assurance-chômage et je cherche un emploi. Je fais un peu de tout. Je travaille dans une manufacture de chaussures et, quelques soirs par semaine, avec mon frère Gilles, je fais de l'entretien ménager dans des magasins à grande surface. Les week-ends, toujours avec Gilles, je fais la livraison de poulets rôtis pour un restaurant du quartier Rosemont. Je suis ambitieux et travaillant et je veux sortir de ce quartier de pauvres qu'est le Faubourg à m'lasse. Il faut dire que j'avais rencontré la plus belle fille du quartier, Joanne Lafleur, la femme qui allait devenir la mère de mes trois enfants. Déjà, on parlait de mariage, alors je n'avais pas de temps à perdre… je travaille.

Quand on est jeune, on ne choisit pas d'habiter dans un quartier défavorisé, mais on peut choisir d'en sortir.

Chapitre 4

L'apprentissage de la vie

Avant ma rencontre avec Joanne, ma future épouse, je vis une jeunesse dont les jeunes rêvent, puisque je suis batteur dans un orchestre de garage. Presque tous les jeunes de mon âge veulent faire partie de groupes de musiciens et rêvent de devenir des Classels, des Excentriques ou des Sultans, les groupes vedettes du temps. C'est l'époque du yé-yé, et les Beatles débarquent en Amérique. Je suis un bon danseur, surtout de rock n'roll et, je le dis sans fausse modestie, malgré un physique assez ordinaire, j'ai beaucoup de succès avec les filles. Je me souviens d'un samedi soir où j'avais promis à deux filles de les amener danser, il m'a fallu demander à mon jeune frère, Claude, de me tirer d'embarras et d'accompagner une des filles. Étant beaucoup plus timide que moi, il se fit tirer l'oreille un peu, mais, quelques années plus tard, il épousera cette fille, Jocelyne Lafleur, et ils auront trois enfants.

Mon frère Claude et moi, malgré nos différences – Claude était très bon à l'école, toujours premier de classe et moi, toujours le dernier –, nous étions inséparables. On a fait les cent coups ensemble avec complicité et plaisir. Aujourd'hui encore on s'aime beaucoup. Il m'arrive souvent de penser que tristement la vie, le mariage et les obligations familiales séparent souvent deux frères qui avaient encore plein de belles choses à vivre ensemble, mais que la société et la famille ont poussés vers le mariage beaucoup trop jeunes. Malgré une compétition de jeunes coqs nouvellement mariés, nous sommes restés très près l'un de l'autre. Je n'oublierai jamais le jour où Claude s'est rendu en voiture jusqu'à Chicago pour être mon témoin lors de mon deuxième mariage avec une belle Noire d'origine jamaïcaine que j'avais rencontrée quelques années plus tôt lors d'une croisière. Mais pour l'instant, revenons à mon premier mariage.

Alors que je rêve toujours d'améliorer mon sort et de trouver ma voie, mon futur beau-père accepte mal que sa fille marie un homme qui n'a pas un avenir assez solide pour fonder une famille. Feu mon beau-père, qui avait aussi mauvais caractère que la langue bien pendue, répète à qui veut l'entendre que jamais il n'acceptera que sa fille marie un homme qui selon ses paroles « n'est même pas assez gros pour faire une antenne pour voiture de police ». Vous avez là une bonne idée de l'estime qu'il avait pour le fiancé de sa fille.

Un jour que je suis en visite chez ma blonde, je trouve un agent d'assurance-vie assis à la table de cuisine avec mon adversaire[1] (mon beau-père) en train de lui expliquer le bien fondé de prendre une assurance sur sa vie afin de protéger l'avenir de sa famille. Habitué aux salopettes de travail et aux ongles pleins de cambouis, je suis très impressionné par cet homme en complet trois pièces et au langage soigné. Je me mets à rêver que je suis à sa place, faisant bonne impression au père de ma fiancée. À partir de cette rencontre, ma décision est prise : je serai représentant en assurance-vie. Une noble ambition, mais de là en faire une réalité, il y a toute une marge, pour ne pas dire toute une montagne à gravir.

Je fonce et, quelques jours plus tard, je suis dans les bureaux de la compagnie d'assurance-vie London Life. À vingt ans, je n'avais jamais mis les pieds dans un bureau ; inutile de vous dire que je suis très impressionné et je reste quelque peu figé devant le directeur de la succursale. Monsieur Paiement (je me rappelle parfaitement son nom) m'explique que je vais devoir passer des tests évaluant mes capacités pour ce travail.

Ai-je besoin de vous dire que, tout comme à l'école, je rate tous ces examens. Une semaine plus tard, dans le même bureau, le directeur me donne sa réponse : « *Fail !* » C'est raté.

---

1. Mon beau-père, monsieur Lafleur, deviendra quelques années plus tard mon ami, et j'aurai l'occasion de lui rendre plusieurs services, notamment de l'héberger dans une de mes maisons.

N'écoutant que mon courage, et j'en ai beaucoup, je me présente au bureau de l'Industrielle Alliance afin de tenter ma chance une deuxième fois. Je vous laisse deviner la suite: « échoué ! »

J'ouvre ici une parenthèse : quand j'étais petit, j'ai surpris une conversation entre mes parents où mon père recommandait à ma mère d'être patiente avec moi parce que je n'avais pas la capacité de mes frères et sœurs, et que, malheureusement, je n'irais pas bien loin dans la vie. La situation semblait donc donner raison aussi bien à mon père qu'à mon futur beau-père.

Quelques mois après le refus de l'Industrielle Alliance, je rencontre un agent d'assurance de la Métropolitaine. À cette époque, toutes les sociétés d'assurance-vie avaient des représentants qui sillonnaient les rues de la ville et les campagnes afin de vendre des polices d'assurance-vie. En discutant avec monsieur Séguin, l'agent d'assurance en question, j'apprends que son employeur a besoin d'un représentant pour couvrir un quartier près de chez moi. Il ne m'en faut pas plus. Quelques jours plus tard, vêtu de mon complet le plus élégant, je suis dans le bureau du directeur de la Métropolitaine, un dénommé Cardinal. Il faut croire que je lui fais bonne impression puisqu'il consent immédiatement à m'engager comme représentant dans le quartier numéro dix-sept. « Avant l'embauche officielle, il n'y a qu'une formalité, me dit-il, je dois vous faire passer le test d'aptitude à la vente. »

« Ah, non ! » Mon sourire disparaît, mes mains deviennent moites et, tout nerveusement, je commence à remplir des pages de questions dont, la plupart du temps, je ne connais même pas le sens. Deux heures plus tard, je quitte le bureau avec la promesse du directeur qu'il va me téléphoner pour me donner les résultats de cet examen, peu importe si c'est réussi ou non. Comme promis, monsieur Cardinal me téléphone une semaine plus tard pour me fixer un rendez-vous.

Le cœur rempli d'espoir, je me rends à son bureau en me disant que si je n'avais pas réussi l'examen, il ne m'aurait pas demandé de passer à son bureau. À l'époque, en 1970, les locaux de la compagnie d'assurance Métropolitaine étaient situés dans une tour à l'angle des rues Cherrier et de parc Lafontaine. Âgé de vingt ans, n'ayant connu que la shop et des petites « jobines » mal payées, je suis vraiment impressionné par la décoration et le confort de l'immense bureau du dirigeant. Il tente le plus possible de me mettre à l'aise pour m'annoncer que je n'ai pas réussi le fameux examen. Ce dernier est revenu du siège social d'Ottawa avec la mention « *failed* ».

C'est les larmes aux yeux que je m'apprête à sortir du bureau quand monsieur Cardinal m'apprend une bonne nouvelle : « Monsieur Leclerc, me dit-il, à l'encontre des directives du siège social, je vous engage comme représentant de la Métropolitaine afin de desservir notre clientèle du quartier dix-sept. » Je n'ose l'interroger sur sa décision et il continue : « Dans votre C.V., j'ai tout de suite remarqué que vous aviez eu trois emplois. J'ai moi-même contacté vos trois ex-patrons et aucun ne voulait vous laisser partir. Ils sont unanimes pour dire que vous êtes très travaillant et consciencieux. Si vous mettez autant d'efforts dans votre nouveau travail, je suis persuadé que vous allez réussir malgré le résultat du test d'aptitude à la vente. »

Je lui donne une bonne poignée de main et je lui promets qu'il ne regrettera pas sa décision de m'avoir engagé comme représentant d'assurance de la Métropolitaine. Deux ans plus tard, il le regrettera.

Dans la vie, ce n'est pas l'ampleur du talent qui compte, c'est ce que l'on fait avec le talent qu'on possède.

Le plus jeune représentant de La Métropolitaine

Le 16 juin 1970, le plus jeune du groupe parmi une douzaine de confrères, je commence ma formation de représentant en assurance-vie avec plusieurs handicaps, notamment un cours primaire pas terminé ; je me force à afficher de la prestance, mais au fond de moi, je suis timide et terriblement complexé.

Depuis mon enfance, on ne m'a pas souvent dit que j'étais bon; en fait, on ne me l'a jamais dit. Nul à l'école, nul à la shop de mon père et complètement nul pour passer des examens. Les cours de mathématiques, le français des affaires et les statistiques sur lesquelles s'appuie l'assurance-vie sont une torture pour mon cerveau. Je dois ici remercier ma première femme, Joanne, qui m'a beaucoup aidé à l'école de l'assurance; elle m'a toujours appuyé et encouragé.

Mon début dans la vente est un fiasco. Malgré mes efforts, je n'atteins pas les objectifs fixés par le siège social. Après deux ans à végéter, monsieur Cardinal me transfère de bureau (en fait, il se débarrasse de moi) en me disant qu'il avait fait une erreur en m'engageant. Je suis triste, j'ai besoin de plus de temps. Je veux lui prouver qu'il ne s'est pas trompé et que s'il me laisse continuer, je vais réussir. Mais la patience n'est pas la plus grande qualité des directeurs de vente, peu importe la compagnie. La Métropolitaine veut des résultats et vite.

Ce que la compagnie n'avait pas vu dans mon C.V., c'était mon incroyable désir de réussir. Malgré tous mes handicaps et malgré, ou à cause, de mes piètres connaissances théoriques, je redouble d'efforts dans mon travail. À mon arrivée dans l'autre succursale, je rencontre mon nouveau directeur des ventes qui adopte une approche totalement différente avec moi. Très fort en pédagogie, monsieur Laroche m'enseigne une technique de vente et me demande, sans faire de pression aucune, de m'en tenir à ce modèle: « Monsieur Leclerc, me dit-il, répétez et pratiquez sans cesse jusqu'à ce que vous maîtrisiez parfaitement ce mode de présentation. »

Je travaille sans relâche, je lis de nombreux livres de motivation, j'apprends, je gagne de plus en plus confiance en moi, je suis déterminé, je veux et je vais réussir.

Enfin, ça fonctionne. Pour les trois années qui suivent, je vais gagner le titre du meilleur vendeur du bureau. Je serai un des meilleurs représentants en assurance-vie du Québec et, à l'âge de vingt-cinq ans, je serai nommé un des plus jeunes directeurs des ventes de la Métropolitaine. Les succès ne s'arrêtent pas là puisque j'obtiendrai un succès encore plus grand dans ce poste, propulsant mes collègues à de plus hauts sommets de vente. Le siège social me présente comme le *success story* de la compagnie.

À force de ténacité et de travail, à l'âge de vingt-quatre ans, je peux acheter ma première maison, et quelle maison ! Un véritable palais à ville d'Anjou. Je suis sorti du Faubourg à m'lasse, je suis propriétaire d'un duplex flambant neuf, d'une nouvelle voiture et d'un motorisé pour les vacances. Mon salaire est trois fois supérieur à la moyenne et on me prédit un brillant avenir. Mais à l'âge de trente ans, la vie va en décider autrement. J'en parlerai plus loin.

Ça n'arrive qu'aux autres !

Je suis marié depuis un peu plus d'un an avec Joanne Lafleur et en ce premier jour d'octobre 1970, à 6 h du matin, j'attends nerveusement dans une salle de l'hôpital Notre-Dame, à Montréal, la venue de notre premier enfant. À cette époque, les maris n'étaient pas autorisés à assister à l'accouchement de leurs épouses. Pendant que je fais les cent pas, je pense à la petite chambre déjà meublée et tout bien décorée pour recevoir ce petit être tant désiré par les parents et grands-parents. À cette heure matinale, tout est tellement calme dans l'hôpital ! Je suis le seul futur papa à attendre quand tout à coup un vent de panique semble envahir l'étage. Tout le personnel présent se précipite dans la même direction : la salle d'accouchement.

Évidemment, comme je suis la seule personne dans le secteur, il est facile de comprendre que cette panique concerne ma famille. C'est ma femme ou c'est le petit... ? Je suis terriblement inquiet, mais, à l'époque, le père est toujours la dernière personne qu'on informe de la situation. N'en pouvant plus, je traverse les fameuses portes de la salle d'accouchement et j'y trouve rapidement Joanne. Je suis soulagé de voir qu'elle va bien, mais le bébé, lui, est très mal en point. On a fait venir de toute urgence un chirurgien afin de procéder à une délicate intervention sur ce petit être qui ne demande qu'à vivre. Juste avant l'opération, on me donne la permission de voir mon enfant, un beau petit blond, le teint rosé (Joanne n'a malheureusement jamais vu son bébé); j'ai peine à m'imaginer qu'il est aussi mal en point qu'on me le dit. Je croise le médecin dans le couloir menant à la salle d'opération et je le supplie de sauver la vie de mon fils.

L'attente sera longue pour sa mère et moi, mais l'espoir ne nous quitte pas d'une seconde. Dans nos têtes, ces terribles épreuves n'arrivent qu'aux autres, mais pas à nous. Ce n'est pas possible, on sortira de cet hôpital avec notre enfant dans les bras, voilà, c'est tout!

Mais je n'oublierai jamais cet après-midi, gravé à tout jamais dans ma mémoire. Dr Larose entre dans la chambre avec la terrible nouvelle: bébé Leclerc (il devait s'appeler Marco) n'a pas survécu à l'opération. Joanne encaisse le choc avec un courage incroyable. J'ouvre ici une parenthèse pour souligner sa force; elle a eu une adolescence très difficile, et voilà qu'une autre terrible épreuve lui arrive. Que faire d'autre que pleurer, pleurer et pleurer encore jusqu'à ce qu'il ne reste plus de larmes.

De mon côté, le soir même, je me rends à la maison et je change au complet la chambre du bébé. Tous les jouets, vêtement, cadeaux, seront rangés dans des boîtes et la porte de cette chambre restera fermée. Il faudra attendre plusieurs mois, et que Joanne soit enceinte de nouveau, avant qu'on n'y retourne.

Quelques jours plus tard, Joanne et moi, accompagnés de mon beau-père, suivons le corbillard qui transporte la minuscule tombe blanche de notre petit ange. Il sera enterré en toute intimité dans le terrain familial de la famille Lafleur au cimetière de la Côte-des-Neiges, à Montréal.

Notre deuxième enfant, qu'on appellera aussi Marco, viendra au monde le 3 décembre 1971 et il sera en parfaite santé. Probablement en réaction à cette première expérience douloureuse, Marco deviendra un enfant surprotégé par sa mère, et je peux la comprendre. Rien de catastrophique, mais il me faudra à quelques reprises intervenir afin que la mère laisse un peu plus de corde à cet enfant surdoué que sera notre fils. Il a toujours été et il est encore une personne beaucoup plus mature que son âge. À seize ans seulement,

Marco sera déjà établi en affaires, il possédera une voiture et il fera assez d'argent pour se permettre, deux ans plus tard, un voyage d'une année complète en Europe. Après cette expérience, notre fils restera toujours un peu plus européen que canadien. Il a d'ailleurs épousé une belle Allemande et le couple vit présentement dans ce merveilleux pays qu'est l'Allemagne.

Fin tragique d'une nièce

En ce magnifique mois de juillet 1974, mon frère, Georges, est en voyage en Gaspésie avec sa femme, Louise, et sa fille, Christine, alors âgée de neuf ans. Étant l'aîné de la famille, Georges a gardé le plus de contacts avec les oncles, tantes, cousins et cousines restés en Gaspésie après le départ de notre famille. Il y retourne plusieurs fois par année surtout pendant la saison estivale. Christine s'exprime très bien pour son âge et elle est excessivement douée. Elle fait l'adoration de ses parents qui ne lui refusent absolument rien. Georges est un être d'une générosité sans limites. Je me rappelle que, même enfant, il n'oubliait jamais une fête des Mères, et, bien que nous étions très, très pauvres, nous, les enfants, même les plus jeunes, remettions quelques sous à notre grand frère pour acheter le cadeau de la fête des Mères; mais il va sans dire que c'est lui qui fournissait le plus gros montant. Par exemple, il dépensa sa toute première paye pour acheter une robe à ma mère.

Georges a toujours été un exemple pour nous, ses frères et sœurs, et je le soupçonne d'avoir souvent joué au père Noël avec son propre argent pour acheter des cadeaux aux plus jeunes de notre famille. Je crois aussi que tous les autres, les plus vieux de la famille, ont suivi l'exemple de Georges et agi de la même façon pendant quelques années. Encore aujourd'hui, notre frère aîné passe beaucoup de temps à visiter notre mère qui vit en résidence pour personnes âgées.

Donc Georges, dans sa grande générosité, achète un *minitrail*, une petite moto, à sa fille de neuf ans. Vous pouvez imaginer que cette petite, déjà fort mature pour son âge, entend bien en mettre plein la vue à ses petits amis qui, eux, au même âge, ont peine à rouler en simple vélo. En ce jour de juillet, de la maison de ma marraine à Saint-Vianney, Georges surveille son petit ange rouler avec sa moto pendant qu'il fait la conversation avec sa tante. Les enfants s'amusent à traverser un chemin de campagne où il ne passe probablement jamais plus de deux voitures par jour.

Mais voilà qu'au moment précis où la petite Christine s'élance encore une fois dans le chemin, un énorme camion arrive. Il lui est impossible d'éviter la petite qui vole dans les airs sous les yeux horrifiés de son père. Georges accourt pour ramasser l'enfant qui n'est plus littéralement qu'une poupée de chiffon désarticulée; elle est morte sur le coup. À partir de ce jour, j'ai toujours pensé, et je le crois encore, que mon frère est mort en même temps que sa fille, à la différence que, lui, on ne l'a pas encore enterré. Au salon mortuaire à Montréal, il se tient debout devant le petit cercueil. Pas un mot, pas une larme, simplement le regard perdu d'un homme généreux et sensible à qui la vie venait tout simplement de voler son plus grand amour. Il ne s'en remettra jamais.

Mon frère aîné ne sera jamais plus le même homme. Plus tard, lui et sa femme, Louise, adopteront un beau petit garçon, mais bien qu'ils adorent ce nouveau venu, Francis, je crois bien que jamais il n'effacera le souvenir de Christine dans le cœur de Georges et de Louise.

Chapitre 5

Montréal, mai 1976, vingt-huit ans

Quand la maladie frappe...

Je dirige une équipe de vendeurs et j'adore mon travail. Comme je fais partie de l'élite des représentants, la « Métro » (c'est ainsi que les employés ont l'habitude d'appeler la Métropolitaine), m'offre des séjours dans les plus beaux hôtels au Canada et aux États-Unis. Mon épouse, Joanne, et moi avons eu la chance de passer la nuit au château Montebello, au manoir Richelieu et même au célèbre hôtel Waldorf-Astoria à New York. Nous fréquentons les meilleurs restaurants et chaque hiver, nous amenons nos trois beaux enfants visiter le parc de Disney en Floride.

À l'été de 1976, pour des raisons que j'ignore, je commence à me sentir terriblement fatigué. À cela s'ajoutent des maux de tête tellement violents que j'avale les pilules comme des bonbons. Je consulte un médecin qui diagnostique une mononucléose accompagnée de migraines. Trois mois de repos ne suffisent pas à me redonner l'énergie nécessaire pour travailler. Après une tentative de retour au travail, je retombe plus malade que jamais, et un autre médecin me prescrit six mois additionnels de repos en plus d'une batterie d'examens médicaux.

Au printemps 1978, je suis de plus en plus mal quand j'entre dans le bureau de Dr Dionne, rue Sherbrooke Est, pour avoir les résultats d'autres examens. Sans l'affirmer, il émet la possibilité d'une tumeur au pancréas.

— Qu'est-ce qu'on fait avec ça, docteur?
— Possibilité d'opération, qu'il répond.
— Quelles sont mes chances de guérison?
— Environ cinquante, cinquante, qu'il dit.
— Qu'est-ce que vous voulez dire?
— C'est une chirurgie très délicate et les chances de survivre à l'opération sont de seulement cinquante pour cent.
— Ouf!

Découragé n'est pas le bon mot, je suis littéralement assommé. J'ai trente ans, trois beaux enfants, une femme qui a abandonné une carrière pour rester à la maison et superviser l'éducation des enfants, j'ai une maison et une voiture à payer, et j'entreprends une deuxième année de maladie. En même temps, il y a une bataille juridique entre mon médecin et la Métropolitaine, mon employeur, qui veut me forcer à retourner au travail et menace de couper mes prestations d'assurance salaire. Sous la pression de mon patron et rempli de bonne volonté et d'optimisme, je tente un retour au travail. Mais rien à faire, je m'épuise en quelques mois. Résultat: je finis par perdre mon emploi, ma maison et ma nouvelle voiture.

Durant cette période difficile, toute la petite famille va se réfugier chez mon père qui vit dans un vieil appartement de la rue Papineau, en attendant encore des résultats d'examens et d'analyses médicaux qui n'en finissent plus. Je suis maintenant au bord de la dépression, mon égo en a pris une claque: de *success story*, j'en suis arrivé à *sick story*. L'avenir n'est pas réjouissant.

Ma première réaction est de fuir et de rejoindre ma sœur, Denise, qui vit avec son mari en Colombie-Britannique. Mais voilà, je dois attendre d'autres résultats d'analyses et probablement une chirurgie. Après quelques mois passés chez mon père, nous décidons, Joanne et moi, d'acheter, avec le peu d'économies qui nous restent, une petite maison très modeste dans les Laurentides. Située dans le village de Val-David, elle nécessite beaucoup de réparations, mais c'est tout ce que notre mince budget peut désormais nous permettre. Ce triste épisode de ma vie va laisser des traces et influencer tous mes projets d'avenir. C'est l'occasion d'une sérieuse remise en question de mon mode de vie.

Dans la vie, tout est réparable, la seule chose qui est définitive et qu'on ne peut changer, c'est la mort.

Aujourd'hui, quand je dois affronter un obstacle ou un problème, je répète à qui veut l'entendre: « Il y a des choses pires que ça dans la vie! » Finalement, cette maladie et ces années de misère m'auront forgé une carapace et une force de caractère peu communes. Elles m'auront aussi appris à vivre pleinement le moment présent. Alors ma fuite ne sera pas vers la Colombie-Britannique, mais Val-David. Nous sommes littéralement tombés en amour avec le village et ses habitants. Très courageusement, mon épouse reprend le marché du travail et, moi, je tente de me refaire une santé. Mais quelle est donc cette maladie qui m'a jeté à terre pendant si longtemps? La véritable réponse ne viendra finalement que presque vingt ans plus tard. La voici! Encore une fois, obtenue par un concours de circonstances inusitées.

Un jour, je fais la connaissance de Me Paul Unterberg, un avocat montréalais spécialisé dans le recours collectif. Grâce à son réseau de contacts, je rencontre un éminent hématologue qui conclut que j'ai un problème sanguin. À la suite de nombreuses analyses, il finit par tirer la conclusion qu'à cause d'une moelle osseuse déficiente, mon sang produit un taux anormalement bas de globules blancs. Résultat: fatigue chronique.

Chapitre 6

Val-David, 31 janvier 1977, vingt-neuf ans

Le retour aux sources

Un magnifique bébé blond, Jonathan, vient compléter une belle famille de deux garçons, Marco, cinq ans, et Bruno, deux ans et demi. Notre terrain est immense avec une petite grange que je transforme rapidement en poulailler. Nous aurons finalement une vingtaine de poules – et des œufs tous les matins –, deux chèvres et, pendant un bout de temps, un petit cheval. J'adore ma nouvelle vie à la campagne; nous ne sommes pas riches, nous nous contentons de peu et je passe beaucoup de temps avec mes enfants. Quand je retrouve assez d'énergie, je vais skier et jouer au hockey avec eux. Ce sont des moments de pur bonheur. Malgré un sentiment d'impuissance concernant mon état de santé, ce sera une des plus belles périodes de ma vie.

J'apprends à connaître mes garçons, Marco, l'aîné, sera toujours plus mature que son âge. Il a appris très jeune la valeur de l'argent. Plus tard, quand les garçons sont assez grands pour faire de menus travaux, comme faire la vaisselle, sortir les vidanges, nourrir les animaux, je donnerai à chacun d'eux un peu d'argent en récompense de leur travail. Ces économies leur serviront à se payer des gâteries lors de nos futures vacances. Marco sera toujours celui qui accumulera le plus d'argent dans son petit cochon, et celui qui dépensera le moins pendant ses vacances. Et encore aujourd'hui, à quarante ans, son attitude est la même, mais, dois-je ajouter, avec beaucoup plus d'argent à la banque.

On dit que « la pomme ne tombe jamais loin de l'arbre ». À l'âge de dix-huit ans, mon fils aîné est allé, pour une année, vivre en Europe. Ce voyage le marquera pour la vie. En plus de ses contacts avec différentes cultures, il eut l'occasion de se familiariser avec des langues étrangères. En effet, mon fils aîné parle l'allemand, l'anglais, l'espagnol, et il se débrouille en danois et norvégien. Il vit présentement en Allemagne avec sa femme, Laura, la plus gentille des Allemandes. Accompagné de son épouse, il continue de voyager autour du monde.

Bruno, mon fils adoptif, est comme beaucoup de Vietnamiens, très intelligent. Il est de mes trois garçons celui qui réussit le mieux à l'école. Très studieux, il fait ses devoirs en arrivant à la maison, mais il n'est pas très sportif. Son intérêt porte plutôt sur la musique. Très jeune, il suit des cours de piano, mais c'est la guitare qui deviendra son instrument préféré. Il a un talent naturel pour la musique, il apprend par oreille et nous interprète avec une voix de blues les grands succès québécois ou américains. J'ai toujours pensé que s'il avait voulu développer ce talent au maximum, il serait devenu une vedette de la chanson au Québec. M'enfin… Il n'a pas suivi la voie du show-business et Bruno est aujourd'hui père de deux magnifiques enfants, Marilou et Laurent, que j'adore.

Avec sa conjointe Stéphanie (la meilleure des mamans), il donne à ses enfants une éducation que je qualifierais de traditionnelle : le respect de l'autorité, la valeur des choses, de la nourriture et de l'argent. Il n'y a pas de téléviseur dans la maison, il encourage plutôt ses enfants à la lecture ou à des jeux éducatifs. Je suis un parfait ignorant en matière d'éducation des enfants et je n'ai de leçons à donner à personne, mais j'ai toujours cru et je crois encore aujourd'hui que le gros bon sens et l'encadrement des enfants seront toujours la meilleure base pour démarrer dans la vie. Je dois mentionner que dans le cas de Marilou et de Laurent, les résultats sont concluants.

Ne jamais rien refuser à nos enfants n'est pas le meilleur moyen de les préparer à la vie d'adulte et à ses difficultés.

Jonathan, mon cadet, fut un enfant enjoué et sans malice. Comme son père, son attrait pour le sport en a fait un athlète accompli. À cinq ans, il s'amuse sur les pentes de ski de Vallée Bleue et Belle Neige dans les Laurentides et, avec son ami Jasey-Jay Anderson, futur champion du monde de snow board, il devient une véritable vedette de la planche à neige. J'ai toujours dit à qui veut l'entendre que si j'avais eu les moyens financiers pour appuyer mon fils, il serait, lui aussi, devenu un champion. Tous ses instructeurs de ski m'ont confirmé qu'il avait un talent incroyable pour les sports de glisse.

Aujourd'hui, Jonathan possède avec sa conjointe, Nathalie, une belle maison aux pieds du mont Avila où il pratique son sport préféré et il sera toujours pour moi mon champion. De mes trois enfants, c'est celui qui me ressemble le plus physiquement et, aussi, côté caractère ; c'est un travailleur infatigable, un homme responsable, avec une grande sensibilité au bonheur des gens qui l'entourent.

Je me rappelle tellement une journée en particulier ; Jonathan devait avoir vingt et un ou vingt-deux ans et il était célibataire, vivant encore chez sa mère. Lors d'une visite, j'ai insisté auprès de lui pour qu'il quitte la maison familiale et qu'il prenne ses responsabilités. Mon fils me regarde, les yeux pleins de larmes, et me dit : « Pourquoi tu ne m'aimes pas, Papa ? » Et moi de lui répondre : « C'est parce que je t'aime tellement que je tiens à ce que tu quittes la maison pour voler de tes propres ailes. » Je dis souvent que Jonathan a le cœur gros comme un autobus, et même plus. M'enfin… Vous qui me lisez, vous voyez bien que c'est un cœur de père qui parle, et que ça parle toujours comme ça un cœur de père…

Chapitre 7

Un fils adoptif, Van Than Huong

Un de mes enfants est un Vietnamien que mon épouse et moi avons adopté en 1974. L'idée d'adopter un enfant asiatique fut la mienne, mais Joanne m'a immédiatement suivi dans cet extraordinaire projet. Pour des raisons difficiles à expliquer, dès l'âge de quinze ans, j'avais dans la tête que lorsque je fonderais une famille, j'adopterais un orphelin. La guerre du Vietnam et son lot d'enfants abandonnés ont touché des milliers de familles en Amérique et nous avons été parmi les premiers Québécois à souhaiter adopter un enfant de ce pays détruit par la guerre. Je sais que le réputé ex-gardien de but du Canadien de Montréal, Rogatien Vachon, a fait de même puisqu'il était à l'aéroport de Dorval en même temps que nous, attendant impatiemment sa petite Vietnamienne.

J'ouvre ici une parenthèse pour vous raconter l'histoire de mon fils adoptif, Van Thann Huong. Vers la fin de la guerre du Vietnam, l'armée communiste du Nord-Vietnam fonçait vers le Sud-Vietnam et toutes les villes tombaient les unes après les autres. Au sein de l'armée du Sud-Vietnam soutenue par l'armée américaine, c'était la débandade. En fait, la panique régnait à Saïgon : il fallait évacuer la ville de tous les ressortissants américains encore sur place.

Pour l'organisation Friends for all Children, c'était aussi la catastrophe, mais leur mission, c'était de rescaper et d'évacuer les centaines d'orphelins déjà adoptés par des familles à travers le monde. Malgré les conditions chaotiques de la guerre, l'organisme avait réussi à faire compléter tous les documents d'adoption des trois cent cinquante enfants qui étaient sur place, prêts à partir. Ces enfants étaient temporairement logés dans des orphelinats passablement éloignés de la capitale et on décida de former un convoi de petits autobus afin de les amener jusqu'à l'aéroport de Tan Son Nhat, à Saïgon.

Une quinzaine de bénévoles de plusieurs pays étaient sur place pour accompagner les enfants. Le convoi se mit en branle vers la ville assiégée, mais, déjà à une centaine de kilomètres plus loin, de violents combats faisaient rage. Par mesure de sécurité, on arrêtait et on abritait les enfants en dessous des autobus. Quand la situation se calmait, on ramenait les enfants dans les véhicules et on repartait.

Je n'ai pas besoin de vous expliquer que dans un tel contexte de crise, ces enfants, dont l'âge variait de six mois à huit ans, avaient peur, pleuraient, étaient affamés; il fallait qu'ils soient changés de couche, qu'on leur donne la bouteille, etc. M'enfin! Vous voyez le portrait.

Une seule route menait à la ville et, le lendemain, même cette issue fut bombardée. Un nouveau défi attendait alors les bénévoles de l'organisation. Parmi ces derniers se trouvait un médecin, un Américain, je crois, trois infirmières, dont une Australienne; la directrice en chef de l'organisation était une Montréalaise du nom de Naomi Bronstein, une femme exceptionnelle, malheureusement décédée d'un cancer en 2010. Tous ces gens extraordinaires n'avaient qu'un seul but: sauver des enfants d'une mort certaine.

Dans la capitale, un vent de panique s'était emparé de la ville. C'était le sauve-qui-peut. La rumeur voulait que les méchants communistes du nord fassent des exactions dans les villes et villages qu'ils capturaient. Toujours selon les racontars, on tuait, on violait et on massacrait les habitants. Rien de tout ça n'arrivera, mais pour l'instant les habitants de la ville cherchaient par tous les moyens à sortir de cet enfer. L'aéroport étant constamment bombardé, il n'y avait plus aucune compagnie aérienne capable d'atterrir. L'armée des États-Unis avait organisé, pour le personnel américain et leurs familles encore sur place un pont aérien entre le toit de l'ambassade américaine et des porte-avions amarrés en mer de Chine. Des hélicoptères se relayaient jour et nuit afin de sortir le plus de gens possible.

On vit dans les journaux, et même aux bulletins de nouvelles de fin de soirée, des gens se battre à coups de pieds et de poings dans le but de se trouver une place dans des hélicos déjà surchargés. Tous les coups semblaient bons pour sauver sa peau ! Et c'est à ce moment que le convoi humanitaire arriva à Saïgon avec les enfants : mais plus d'hélicoptères pour les évacuer. Trop tard ?

Les bénévoles ne se sont pas découragés, ils ne pouvaient pas laisser tomber aussi près du but. Pour ces gens, l'impossible est toujours possible. Ils ont communiqué avec la direction de l'armée américaine, et on persuada le haut commandement que pour redorer le blason de cette armée plus ou moins populaire au sein du peuple américain, il leur fallait coûte que coûte sauver la vie de ces orphelins. Finalement, l'armée réussira à faire atterrir à l'aéroport de Saïgon un immense avion C5A servant habituellement à transporter du matériel militaire. C'était l'avion de la dernière chance. On appellera cette mission : Opération Babylift.

Aussitôt l'avion atterri, il fut littéralement encerclé par des soldats afin d'empêcher d'autres ressortissants d'y monter. Les militaires et le personnel de bord aidèrent les bénévoles à transporter les enfants à bord de l'avion. Le C5A est un énorme appareil à deux étages et on décida de placer les plus petits bébés au second étage, accompagnés de l'infirmière, Christie Liverman. Mais un problème surgit rapidement : il était impossible de laisser décoller un avion transportant des enfants tellement petits qu'on ne pouvait les attacher sur des sièges d'avion. Solution : on utilisa des caisses ayant servi au transport de beurre et l'on rangea quatre enfants par caisse qui, elle, sera ceinturée au siège de l'avion. Tous les membres bénévoles de l'organisation s'installèrent rapidement à bord avec les enfants et, le 4 avril 1975, dans une atmosphère ahurissante, l'avion s'envola enfin vers un avenir meilleur pour ces petits orphelins vietnamiens. Mais l'horreur survint : quelques minutes après le décollage, l'avion plutôt que de continuer à prendre de l'altitude en perdit pour s'écraser dans une rizière et prendre en feu.

À peine après le décollage, le commandant de l'appareil avait remarqué que l'avion était instable. On s'est alors rendu compte que la porte arrière, probablement dans la confusion, avait été mal fermée et l'avion perdait sa compression. Le pilote amorça des manœuvres pour faire demi-tour vers l'aéroport, mais trop tard, l'avion s'écrasa près de la ville. Malgré le contexte à Saïgon, les secours s'organisèrent quand même rapidement. Mais ils seront inutiles pour cent vingt-cinq enfants et pour tous les bénévoles de la FFAC, à l'exception de l'infirmière, Christie Liverman, qui, même sous le choc de l'écrasement, trouva la force nécessaire d'aider les secouristes à évacuer les survivants. Paradoxalement, seuls les bébés qui avaient été placés dans la partie supérieure de l'appareil devaient survivre à l'écrasement. Les photos du désastre du C5A firent le tour du monde, accentuant le désespoir de tous ces parents qui avaient adopté un des bébés orphelins de cette terrible guerre. Nous sommes anéantis ! Notre fils adoptif fait peut-être partie des victimes.

Pour ceux qui s'en souviennent, le 29 avril 1975, une tempête de neige aussi énorme qu'imprévisible pour cette période de l'année s'est abattue sur Montréal. Les Québécois croyaient l'hiver terminé quand ils ont reçu quelque quarante centimètres de neige. Le lendemain, mon épouse et moi sommes à l'aéroport et nous attendons ce bébé, un cadeau que nous attendions depuis plus d'un an. La compagnie d'aviation Air Canada avait mis à la disposition des parents adoptifs un salon VIP afin de rendre notre attente la plus confortable possible. Afin de dissiper notre nervosité, nous échangeons quelques mots avec nos voisins qui eux aussi attendent avec la même anxiété.

Tout à coup, la porte s'ouvre et une agente de bord demande monsieur et madame Leclerc. Elle s'approche et me déposant dans les bras un tout petit bébé, elle me dit : « Félicitations, votre enfant a survécu à l'accident d'avion survenu à Saïgon. » Des larmes coulent sur mes joues en regardant ce petit être qui suce son pouce. Il a l'air tellement fragile. Il porte encore des bandages sur le corps et sur la tête à la suite des blessures reçues lors de l'écrasement de l'avion. Je me rappelle lui avoir dit à voix basse: «Viens mon petit, je vais te protéger toute ma vie.» Je me rappelle aussi que le couple avec qui nous avions causé n'a pas eu la même chance. Ils ont appris ce soir-là que leur bébé n'avait pas survécu à l'accident du C5A de l'armée américaine. Avec mon enfant dans les bras, Joanne et moi avons franchi les portes du salon pour nous retrouver devant un groupe de journalistes accourus pour couvrir l'événement.

L'un d'eux s'approcha de nous et nous demanda le nom de notre enfant. Je lui ai répondu: «Il s'appellera Bruno, Bruno Leclerc.» Je me rappelle que se trouvait aussi parmi nous, ce soir-là, Rogatien Vachon, lui aussi parmi les chanceux qui ont pu repartir avec leur bébé vietnamien. Cette journée restera gravée dans ma mémoire comme une des plus belles de ma vie. Trente années plus tard, Bruno et sa femme, Stéphanie, feront de moi le grand-papa le plus heureux du monde.

Val-David, hiver 1987, trente-neuf ans

En 1987, j'habite Val-David depuis plusieurs années. Ma santé est rétablie presque complètement et, à cette époque, je travaille comme vendeur de voitures chez Laurentides Nissan de Sainte-Agathe-des-Monts. Comme dans plusieurs villes et villages du Québec, je fais partie d'une équipe de joueurs de hockey désignée habituellement comme appartenant à une «ligue de garage». Nous jouons tous les dimanches soir vers 19 h. Après les parties, comme c'est la coutume, plusieurs joueurs vont prendre une bière à la brasserie du village, mais, moi, comme je ne bois pas de bière, je rentre tranquillement chez moi à Val-David. De temps en temps, j'invite mon fils aîné Marco à se joindre à notre équipe de hockey. J'ai toujours eu une relation très étroite avec mes trois garçons et je ne rate jamais une occasion de faire du sport avec eux, que ce soit le ski alpin, le vélo ou le hockey. Donc, ce dimanche soir vers 21 h, après la partie, accompagné de mon fils Marco, alors âgé de quinze ans, et de mon fils cadet, Jonathan, alors âgé de dix ans, nous prenons la route 117 en direction sud.

À l'intersection du chemin du village à Val-David se trouve une station-service Pétro-Canada dont je connais très bien le propriétaire, qui est aussi le maire de notre village. Au moment où je m'engage sur le chemin du village, comme à mon habitude, je jette un coup d'œil vers le garage afin de saluer le proprio. Mais ce que j'aperçois, c'est un homme un genou par terre et qui tente de se protéger avec son bras d'un individu qui le frappe avec une barre de fer. Sans hésiter une seconde, je dirige ma voiture dans la cour du garage. Mes fils et moi en descendons en hurlant à l'individu de lâcher sa victime.

Heureusement pour nous, plus nous nous approchons, plus l'individu recule vers sa voiture avec son arme dans les mains. Nous en profitons pour approcher de l'homme par terre. J'ai tout de suite reconnu le maire. Nous le traînons vers le garage et après avoir verrouillé la porte, j'appelle la police et l'ambulance. Je donne une description de la voiture de l'assaillant à la police : une voiture de marque Cadillac, blanche, avec plusieurs personnes à son bord. Quelques minutes plus tard, la voiture sera interceptée par la Sûreté du Québec sur l'autoroute 15, à la hauteur de Sainte-Agathe-des-Monts. Plus d'une année plus tard, je devrai aller témoigner en cour au sujet de ces événements dont je fus le principal témoin. J'avais probablement sauvé la vie du propriétaire du garage. Effectivement, il devait m'écrire une gentille lettre pour me remercier de mon geste en ce dimanche soir de l'hiver 1987.

Après dix-huit années de vie commune, comme cela arrive à beaucoup d'autres couples, mon mariage bat de l'aile. J'ai connu Joanne quand elle n'avait que quinze ans et comme c'est souvent le cas, nos vies et nos manières de penser ont évolué de façons différentes. Mon besoin de liberté est beaucoup trop fort et notre mariage a éclaté. Fort heureusement pour les enfants, nous nous sommes comportés en adultes civilisés et nous avons tenté le plus possible de protéger nos trois enfants des traumatismes qui surviennent trop souvent lors d'une séparation. Aujourd'hui, mon ex-épouse Joanne est remariée avec un homme extraordinaire, Robert, qui est devenu au fil du temps un deuxième père pour mes enfants et… un ami pour moi. Malheureusement, il est décédé des suites d'un cancer le 21 septembre 2013. Il n'avait que cinquante-neuf ans.

Après tant de succès dans la vente d'assurance-vie, finalement terminer cette carrière d'une façon aussi dramatique m'a fait perdre le goût de retourner dans ce milieu. À la suite d'une brève incursion dans le domaine de la vente automobile et malgré un certain succès, je décide de quitter ce métier de vendeur et d'aller vers la restauration. Aimant travailler avec le public, j'ai toujours trouvé que le métier de serveur était un travail noble et intéressant.

Un jour, je rencontre une connaissance, Michel, qui est un des propriétaires de l'auberge du Vieux Foyer à Val-David. Cet endroit est réputé pour sa cuisine gastronomique et son accueil chaleureux. Je fais part à Michel de mon intérêt pour le métier de serveur et il décide de m'embaucher comme aide-serveur (*busboy*) pour que je sois adéquatement formé comme garçon de table. C'est ce qu'on appelle vraiment commencer au bas de l'échelle. L'auberge étant classée trois étoiles, les préposés aux tables travaillent en costume traditionnel, petite boucle au cou et serviette sur le bras. Ils doivent apprendre à servir et desservir comme on l'enseigne à l'Institut d'hôtellerie du Québec et, bien entendu, maîtriser la présentation et le service du vin aux tables. Ce fut pour moi la meilleure école pour apprendre ce métier.

Quelques semaines plus tard, je deviens officiellement serveur et, pour prendre de l'expérience, on m'affecte aux petits-déjeuners, histoire de me faire prendre un peu d'expérience avant de servir les soupers dans la grande salle à manger. Même si certains serveurs n'aiment pas travailler aux déjeuners, pour ma part, c'est un quart de travail que j'aime beaucoup. Je suis de nature joviale et blagueuse, ce que les clients apprécient particulièrement tôt le matin.

L'établissement reçoit régulièrement des gens d'affaires qui y tiennent des réunions avec leurs employés. Pour la plupart, ces groupes restent à l'auberge de quatre à cinq jours. Or, un matin, je sers le déjeuner à un groupe de représentants de la compagnie d'assurance Allstate, lorsqu'un homme me demande mon nom. Lorsque je le renseigne, il me dit : « Vous ne seriez pas le Jacques Leclerc qui était directeur des ventes à la Métropolitaine ? »

Ouf ! J'aurais bien aimé passer incognito. Mon orgueil en a pris pour son rhume. De directeur à serveur, c'est quand même considéré comme une descente dans la hiérarchie sociale.

Le représentant en question avait gardé de moi le souvenir d'un vendeur à succès et plus encore, d'un excellent motivateur en tant que directeur des ventes. Il fut très étonné de me voir lui servir son café ce matin-là, car il n'avait aucune idée du pourquoi ni du comment j'avais dû quitter mon travail à la Métropolitaine. De façon très élogieuse, il m'a présenté à son patron, qui m'a tout de suite offert un poste de représentant au sein de sa compagnie, poste que j'ai refusé sans aucune hésitation. J'avais tourné la page sur cette partie de ma vie. Pour compléter l'anecdote, ce patron m'a demandé si j'accepterais de donner un petit *pep talk* à son groupe de vendeurs. Alors, le lendemain matin, avant de servir le café, je me suis surpris moi-même, donnant une mini-conférence avec toute l'énergie d'un bon motivateur.

La vie nous réserve parfois de drôles de surprises. Un jour ou l'autre, on va tomber, on va encaisser une défaite en affaires ou subir une maladie. L'ego, trop souvent surdimensionné, en sera affecté. L'important, c'est de se relever. Repartir à zéro n'est pas un crime et peut être plus facile qu'on le croit.

Chapitre 8

Val-David, septembre 1989, quarante et un ans

Témoin de trois meurtres !

Je suis divorcé depuis deux ans et j'ai une nouvelle amie depuis quelques mois, que j'appelle affectueusement Lison. Je l'ai rencontrée au centre de ski Belle Neige, à Val-Morin, où, à cette époque, le mercredi, c'était la journée des dames. Comme elles pouvaient skier gratuitement, vous pouvez imaginer combien il y avait de mâles chasseurs sur les pistes de ski. En fait, le fun commençait au moment de l'après-ski, et c'est précisément lors d'une de ces fins de journées mémorables (et j'en ai vécu plusieurs) que j'ai fait la connaissance de cette petite femme délicate et énergique.

Nous avons beaucoup de plaisir à être ensemble et je vais la retrouver sur son lieu de travail dès que j'en ai l'occasion. À cette époque, Lison est barmaid dans un petit bar à Sainte-Agathe-des-Monts, Le Chamonix.

Cet établissement est situé à l'extérieur de la ville sur la route 117, juste à côté d'un lave-auto. Le propriétaire de ce commerce est un personnage bien connu du milieu criminel et, par le fait même, de la police. Il a été pendant de nombreuses années propriétaire d'un club de danseuses nues situé sur cette même route à Val-David. Comme j'étais devenu le président de la Chambre de commerce de Val-David, j'avais l'occasion de rencontrer cet individu, que j'appellerai Marcel, un nom fictif, bien sûr. Il s'était alors recyclé dans un domaine bien différent, dois-je dire. Probablement parce qu'il ne s'était pas fait uniquement des amis dans son ancienne vie, la rumeur voulait qu'il ait porté en permanence une veste antiballes.

Or, un jour où j'étais allé voir mon amie Lison au Chamonix, nous entendons clairement ce que l'on a cru être un bruit de pétards. Lison me demande d'aller jeter un coup d'œil dehors pour voir si les enfants ne jouaient pas trop près de là. Une fois sorti, une scène ahurissante s'offre à moi. Trois hommes sont étendus par terre avec chacun ce qui semble être un projectile dans la tête. Laissez-moi vous raconter ce qui s'est passé. Vers 18h30 (si ma mémoire est bonne) ce jour-là, une voiture de luxe s'arrête devant le lave-auto de Marcel. La voiture n'avait, semble-t-il, pas besoin de lavage. Trois hommes en descendent. On saura plus tard au cours du procès qu'ils faisaient partie du gang de motards les Rock Machines.

Donc les trois hommes pénètrent dans le local et ils «invitent» le propriétaire à faire une «petite balade en voiture». Marcel comprend très vite que ce n'est pas pour aller admirer les rives du majestueux lac des Sables de Sainte-Agathe-des-Monts. Il connaît très bien ses visiteurs et il ne doute pas une seconde qu'il ne reverra plus jamais son lave-auto.

Tout juste avant de passer la porte, il demande à prendre son manteau, un genre d'imperméable d'automne. On l'oblige à s'asseoir sur la banquette arrière de la voiture alors que deux des hommes prennent place sur la banquette avant et un autre, tout juste à côté de lui, en arrière. Les portières ne sont pas encore fermées que Marcel tire un premier coup de feu avec une arme dissimulée dans la poche de son manteau. Il abat le costaud assis à côté de lui. Le conducteur n'a pas le temps de réagir qu'il reçoit à son tour une balle dans la tête. Son corps tombe entre la voiture et la portière encore ouverte. Le troisième homme réussit à sortir de la voiture, mais il est aussitôt abattu derrière la voiture. Marcel prend le temps de descendre calmement de la voiture et va loger une dernière balle dans la tête de chacun de ses assaillants.

Au moment où j'arrive sur les lieux, il est revenu dans son commerce et il est assis. Le moteur de la voiture de ses infortunés visiteurs est encore en marche. Je passe par-dessus les cadavres encore chauds des assaillants vêtus de vestes de cuir aux couleurs des Rock Machines. Je remarque aussi les douilles des balles qui ont été éjectées. À ce moment, un enquêteur débarque en trombe et m'ordonne de dégager les lieux pour ne pas contaminer la scène de crime. Fait étonnant, aucun policier présent n'aura cru bon de m'interroger sur les événements dont je fus le premier témoin. Je reste sur place, la noirceur tombe déjà lorsque les journalistes de Montréal arrivent. Je me rappellerai toujours l'image de madame Jocelyne Cazin de TVA en train de préparer son reportage à quelques pas de moi. Elle devait être à ses débuts puisqu'elle a dû prendre et reprendre son topo. Si madame Cazin lit ce livre, cela va certainement lui rappeler de nombreux souvenirs. Moi, près de trente années plus tard, je m'en souviens très bien.

Ce n'est pas tous les jours qu'on enjambe trois cadavres encore tièdes portant des marques de balle. Des années plus tard quand je décrirai à l'émission de Denis Lévesque une autre scène de mort violente dont j'ai été témoin[1], l'animateur me demandera comment j'ai pu retourner si calmement à la maison après avoir vu deux hommes se faire abattre par la police à quelques pas de moi. Peut-être est-ce à cause de mon vécu ou encore, serais-je difficilement impressionnable? En fait, comme tout être humain, des événements semblables me bouleversent, mais, dans mon cas, je dois avouer que la vie ne m'a pas ménagé pour ce qui est des scènes tragiques. Il y en aura bien d'autres…

---

1. Voir le premier chapitre.

Chapitre 9

La République dominicaine, décembre 1989, quarante et un ans

Voyages et aventures

Je suis en République dominicaine depuis près d'une semaine. C'est mon premier voyage dans les Antilles. Je suis allé rejoindre une amie qui passe tout l'hiver à Cabarete, un petit village de bord de mer. Pour une raison dont je ne me souviens plus, une fin de journée, après un différend avec cette copine, je loue une moto pour me rendre à Sosùa. La plage de cette petite ville est l'une des plus belles du pays, magnifique de sable blanc et d'eau cristalline. Comme mentionné précédemment, je suis plutôt du type « musique et danse », ce qui m'amène assez rapidement à un bar situé au centre-ville où, de réputation, la musique merengue serait la meilleure de toute la République. Je repère facilement le bar en question, et, vers 16 h, je décide d'y aller en reconnaissance. La Roca, c'est le nom de l'établissement, est une immense discothèque adjacente à un bar extérieur tout aussi vaste. À n'importe quelle heure du jour ou de la nuit, il y a du monde à cet endroit. Je stationne ma moto parmi de centaines d'autres. Je monte trois marches et me voilà assis au comptoir à siroter un piña colada. Le volume de la musique venant de la discothèque monte d'un cran et je décide d'aller y jeter un coup d'œil. Au moment où j'allais entrer, une femme appuyée à la porte me dit bonjour avec son plus grand sourire.

À son accent, je devine qu'elle est québécoise. Je la salue à mon tour et me présente : « Mon nom est Jacko, et toi ? » Elle s'appelle Luce. C'est une très belle Montréalaise de trente-huit ans, en vacances pour trois semaines à Sosua. Nous placotons quelques minutes et puis un beau mâle dominicain dans la vingtaine vient l'inviter à danser. Je jette un coup d'œil à l'intérieur, et, à part quelques couples, il n'y a pas beaucoup de monde. Je décide de retourner m'asseoir au bar. Puis la pénombre s'installe doucement sur la ville ; Luce revient s'asseoir à côté de moi, suivie de son jeune danseur. Elle lui demande d'aller chercher deux bières et il s'exécute au pas de course. Pendant son absence, j'en profite pour demander à Luce si elle connait le dicton selon lequel quand une étrangère accepte trois danses consécutives avec le même partenaire dominicain, il est sous-entendu qu'elle passera la nuit avec lui. Elle me répond ne rien savoir de cette histoire, et elle commence à s'inquiéter de la façon dont elle peut se tirer de cette situation sans problèmes. En bon samaritain (!) que je suis, que ne ferais-je pas pour aider une jolie femme en détresse dans un pays étranger ? J'étais loin de m'imaginer la suite de cette aventure…

Je dis à madame que j'ai une moto dans le stationnement tout en bas du bar. Je lui suggère d'aller à la toilette, de prendre son temps, pour me donner le loisir de retrouver ma machine parmi des centaines toutes semblables. Je m'apprête à me lever quand le jeune Dominicain apparaît derrière moi. Il m'engueule, allant jusqu'à me menacer : « Toi dire chose mauvaise sur Dominicains. Toi, pas gentil. Toi pas partir avec elle. Moi casser la gueule à toi. Mes amis en moto surveillent toi. »

Ouf, le moins que l'on puisse dire, c'est qu'il est frustré, le monsieur. Je me dégage et, rapidement, je marche vers ma moto où j'aperçois quelqu'un qui essaie de la voler avec une fausse clef. Je le bouscule, je mets le moteur en marche. Je vois Luce s'avancer et je lui fais de grands signes de se dépêcher. Elle arrive en courant et saute derrière moi. « Tiens-toi bien ! » que je lui dis pendant que je démarre à toute vitesse, suivi par au moins deux motocyclistes. Nous parcourons la ville dans l'espoir de les semer quand Luce me suggère avec insistance de filer vers son hôtel où nous serons en sécurité puisque l'entrée est sécurisée par des gardes armés. Nous y entrons et je stationne la moto dans la cour intérieure d'un chic hôtel. Afin de nous remettre de ces événements, la *princesse* invite son *chevalier* à monter dans sa chambre prendre un verre. Arrivée dans le lobby de l'établissement, ma nouvelle amie prend ses messages à la réception. Elle est tout étonnée d'avoir un message de son père à qui elle ne parle pas depuis plus de cinq ans. Ce soir-là, je me rappelle, en autres, de l'avoir bercée, elle me semblait si fragile... Je quitte sa chambre vers les cinq heures du matin. Le jour se lève. Nous nous donnons rendez-vous le lendemain vers 15 h et on verra pour la suite.

Le lendemain, comme tous les jours d'hiver en République dominicaine, la journée s'annonce très belle. Sous un ciel bleu et un soleil magnifique, je quitte Cabarete avec ma moto, en direction de Sosùa. En chemin, je me demande si j'ai rêvé la nuit précédente ou bien fumé du pot (moi qui n'ai jamais touché à quelque drogue que ce soit de toute ma vie). Est-ce que cette femme existe vraiment? Et la poursuite en moto, est-ce un cauchemar? N'ayant pas beaucoup dormi la nuit précédente, la fatigue peut me jouer un vilain tour. M'enfin... Je veux en avoir le cœur net et j'entre avec ma moto dans la cour arrière de l'hôtel.

En entrant dans le lobby, j'y trouve ma princesse éplorée. De gros sanglots l'empêchent de parler. Je la serre dans mes bras jusqu'à ce qu'elle reprenne un peu ses esprits. « Tu sais, Jacko, me dit-elle, l'étrange message de mon père, hier soir, c'était pour m'annoncer la mort de ma mère. » Et elle se remet à pleurer dans mes bras. Que fait-on en pareilles circonstances? Elle ne peut rentrer au Québec, car il n'y a qu'un vol d'avion par semaine et c'est dans quatre jours. La seule chose qui me vient à l'esprit, c'est de lui proposer une balade en moto afin de lui changer les idées, ce qu'elle accepte immédiatement. Elle monte à sa chambre se changer de vêtements et nous voilà partis en moto en direction de la capitale, Puerto Plata.

Assis sur un banc de parc, elle me parle de sa mère, elle me dit que lorsqu'elle était petite, sa mère la berçait dans ses bras et étrangement « toi, hier soir, tu m'as bercée aussi. Ça me fait tout drôle d'y penser ». Le soir venu, nous rentrons à Sosùa, où Luce m'invite à souper dans le chic restaurant de l'hôtel. Je me rappelle avoir commandé une bouteille de Chablis, à l'époque mon vin préféré. (Aujourd'hui, je bois rarement du vin blanc). Après cette soirée et une nuit tout aussi mémorable, je n'ai plus jamais revu Luce, mais je garde le souvenir de cette aventure incroyable où j'ai agi comme une espèce de Tintin des temps modernes. En relisant mes textes, je me dis que mes lecteurs ne vont peut-être pas croire toutes ces histoires et, pourtant, photos à l'appui, je peux vous garantir que c'est la pure vérité : cette dernière est souvent étrange, parfois plus étrange que la fiction.

Entre l'âge de quarante et quarante-cinq ans, je me suis rendu dans ce pays à trois occasions. À chaque visite en République dominicaine, je vais là-bas non pas pour ses plages, mais pour la nature et la musique. Malgré que je sois gaspésien, je n'aime pas la mer, je suis plutôt un montagnard. Alors, dès que j'en ai l'occasion, je loue une auto ou une moto et je m'élance vers les campagnes ou les montagnes. À une de ces occasions, avec une amie, je loue une voiture afin de parcourir le pays de Puerto Plata à Punta Arenas. Rendus dans un patelin du nom de San Pedro, nous sommes à la fin de notre souper quand tout à coup, comme c'est souvent le cas dans les « pays émergents », survient une panne d'électricité. Nous nous retrouvons dans la noirceur totale, c'est à peine si je peux voir le blanc des yeux de ma copine. La pluie commence à tomber et on décide de coucher dans ce village, mais, après quelques démarches, nous constatons que la seule auberge du village affiche complet. Au cours de nos recherches, nous rencontrons des villageois qui tentent tant bien que mal de nous aider et, finalement, on nous amène un jeune et grand Dominicain qui a peut-être un endroit pour nous dépanner.

Comme il pleut à torrents (un orage tropical comme cela arrive très souvent dans les Antilles), j'invite le jeune homme à s'asseoir sur le siège arrière de la voiture, histoire d'avoir des détails. Il m'explique alors qu'il est en train d'ériger un petit motel avec de vieilles remorques de camion qu'il a recyclées. Ne comprenant pas tout à fait ses explications (mon espagnol est assez limité), je demande à voir l'endroit. « C'est à quelques kilomètres du village », me répondit-il, et il nous invite à le suivre avec notre voiture. N'ayant pas tellement de choix pour nicher cette nuit-là, nous décidons de le suivre et nous voilà partis à la pluie battante pour un périple incroyable à travers des champs et des forêts par des chemins de terre, de trous et de roches. Chemin faisant, notre voiture s'enlise dans la boue et le jeune costaud doit venir à mon aide en poussant l'auto. Ce qui ne devait être que quelques kilomètres devient de nombreux kilomètres dans une nuit d'encre. Où nous emmène-t-il ? Ce n'est pas possible qu'il ait bâti un petit motel si loin du village.

« C'est sûrement un piège ! » me dit ma compagne. Elle m'encourage à retourner au village, mais il est trop tard, je ne saurais retrouver mon chemin. Sans mon guide, je suis complètement perdu. Je me fie à mon instinct qui ne m'a jamais trompé, jusqu'à ce jour. On continue…

Finalement, la voiture de notre soi-disant bon samaritain s'arrête devant une petite cabane faiblement éclairée. L'homme nous fait signe d'attendre dans la voiture. Il n'est pas trop tard pour repartir. Il revient avec un parapluie et une chandelle. Nous le suivons dans la noirceur jusqu'à une remorque. Nous montons des marches en métal menant à une porte coulissante vers le haut. Ma compagne et moi, nous nous regardons et ne pouvons nous empêcher de pouffer de rire. Toujours à la chandelle, on peut apercevoir un petit lit entouré d'un filet contre les moustiques. Il n'y a pas une seule fenêtre, mais ô confort, il s'y trouve une petite salle de bain avec douche et eau chaude produite à l'énergie solaire. Le jeune homme, tout fier, nous demande si cela nous convient et, comme il n'est absolument pas question de retourner seuls au village, nous répondons ensemble « ouuuuiiiiiii » ! Petit détail en terminant, il va verrouiller la porte de la remorque, parce que, nous dit-il, « il y a des animaux sauvages dans les parages ». Il viendra nous réveiller le lendemain à l'heure qui nous convient. Sur ce, il barre la porte. Nous nous recroquevillons dans ce petit lit douillet et nous nous endormons au son de la pluie sur le toit.

Le lendemain matin, sous un soleil radieux, notre guide et sa gentille épouse nous servent un excellent petit-déjeuner sur la terrasse arrière de leur chaumière. « Le bonheur ne tient bien souvent qu'à des petites choses simples ! » Mais enfin… La vie est belle.

Janvier 1991, Saint-Jérôme, quarante-trois ans

Dans une autre vie, j'ai été propriétaire d'un bar-discothèque à Saint-Jérôme, au nord de Montréal. L'histoire commence à un moment de ma vie où, divorcé depuis quelques années, je travaille comme serveur dans un restaurant de Saint-Sauveur, le Chalet Grec. J'aime ce travail, je rencontre beaucoup de gens qui ont le cœur à la fête, le goût de danser et de s'amuser. Mais je me rends compte que, pour les quarante ans et plus, il n'y a pas, dans toutes les Laurentides, un endroit qui correspond à leurs souhaits, c'est-à-dire une place où on peut danser disco et danse sociale.

Avec quelques économies, plein d'optimiste et beaucoup, beaucoup de travail, j'ouvre une salle de danse que je baptise l'Entrepôt puisque c'est un entrepôt désaffecté que j'ai converti en discothèque. J'ai quarante-trois ans, j'ai pratiqué les danses sociales toute ma vie et je connais la musique. Je sais ce que les célibataires de mon âge veulent pour s'amuser les week-ends. Malgré que je n'aie aucune expérience précise dans le milieu des bars-discothèques, le succès ne se fait pas attendre. Dans le but de garder cet endroit *clean* c'est-à-dire sans drogues ni revendeurs de toutes sortes, je m'applique à repousser toutes offres de ce genre. Je me souviens très bien d'avoir montré la porte à plusieurs vendeurs de drogues.

Un soir, quelques mois après l'ouverture de la place, je vois entrer un *dealer* dont j'avais vu la photo dans le journal quelques jours auparavant. On avait tiré des coups de feu sur sa voiture ! Il se nomme Pierre (nom fictif). Quand je le vois entrer, il porte une casquette à l'envers sur la tête, et je me dis que les problèmes vont commencer. Il se dirige vers le bar et il commande une bière. Au moment où il porte la main à la bouteille, je l'arrête et je dis à la barmaid de remettre la bouteille dans le réfrigérateur. Pierre me regarde tout étonné et il me dit : « T'es qui, toé, tabarnak ? » Je me présente et, très poliment, je lui demande de me suivre dans mon bureau. Je lui dis que je connais sa feuille de route et je sais qu'on a tiré sur son véhicule 4×4 blanc, de marque Suzuki. La balle est passée à travers du pare-brise. Je sais aussi qu'il vient de sortir de prison.

— Tabarnak, travailles-tu pour la police ?

— Non, que je réponds, je suis le propriétaire de l'endroit.

Je l'informe que je ne tolère aucun dealer dans ma place.

Je lui dis qu'il peut venir se délasser, mais si j'ai un seul soupçon, qu'il « trafique » dans mon bar, je vais lui interdire d'entrer. Et quand il me demande qui va l'empêcher d'entrer, je lui réponds du tac au tac : moi ! Je me souviens très bien de cette soirée, lui et moi, seuls dans mon bureau, on se regarde dans le blanc des yeux et il me dit : « Hé, *man*, t'as des couilles en tabarnak, toé. M'a respecter ta place ». On se donne la main pour sceller notre entente, mais, honnêtement, je n'y crois pas beaucoup. Contre toute attente, Pierre est devenu un client régulier, je lui ai demandé poliment de ne pas porter de casquette quand il entre dans mon établissement. Fort heureusement, je n'ai jamais eu de problème avec lui, il a respecté sa parole. Quelques-uns de mes employés m'ont dit à l'occasion que je n'aurais pas le choix que de les accepter, mais, malgré d'autres visites du même genre, mes fils et moi nous n'avons jamais reculé. Bien entendu, nous avons eu quelques petits problèmes avec des fauteurs de troubles à l'occasion, mais rien de dramatique.

Quelques années après cet événement, le propriétaire du bar McTavish, dans le Vieux Terrebonne, Francis Laforest, refusait l'accès à son établissement à des revendeurs de drogue. En guise de représailles, il a été battu à mort par un groupe d'individus à coups de bâtons de baseball en pleine rue, devant son bar.

Très rapidement, l'Entrepôt devient la place préférée des quarante ans et plus dans les Laurentides. À cause de l'ambiance exceptionnelle, l'accueil chaleureux et la sécurité des lieux, couples et célibataires n'hésitent pas à faire plus de cent kilomètres de route pour venir s'amuser et faire des rencontres à ma salle de danse. La salle est remplie au maximum et des fêtards font la queue pendant de longues minutes afin d'avoir la chance d'entrer dans *La fièvre du samedi soir*. Cette merveilleuse aventure durera cinq ans. Des années plus tard, lors de mes visites à Saint-Jérôme, les gens me parleront de l'Entrepôt avec nostalgie. Ce fut à l'époque un phénomène qui ne se répétera pas, du moins pas dans les Laurentides. Après avoir vendu cette entreprise, je prends une décision qui va changer le cours de ma vie.

Chapitre 10

On a tous une « date d'expiration »

Un matin, j'ouvre le journal et arrivé dans la section « Décès, prières et remerciements », je lis ceci : « Monsieur Untel est décédé subitement à Montréal le 5 juillet 1996 à l'âge de soixante ans. Il en était à la première semaine d'une retraite bien méritée, après une carrière de trente-huit années au sein de… »

Alors, moi, qui rêve depuis l'enfance de faire le tour du monde, et ce, bien avant ma « date d'expiration », je décide sur-le-champ de partir en voyage aux États-Unis sans même me douter que ce périple sera le début de mon premier voyage autour du monde. Mais avant d'aller plus loin, voici quelques histoires… de femmes.

Comme tous les hommes hétérosexuels, je suis attiré par les femmes et, comme tous les hommes, par les belles femmes. Alors voici quelques brèves confidences sur les femmes qui ont partagé ma vie pendant longtemps, moins longtemps, pour un instant, le temps d'une danse, d'une nuit, ou pour la vie, à tout le moins une partie de ma vie.

En décembre 1993, je suis propriétaire d'un bar, mes affaires vont très bien, je suis à nouveau célibataire et heureux de l'être. J'ai à ce moment quarante-trois ans, je suis en pleine forme et j'ai le goût de profiter de ces belles années qui s'ouvrent devant moi. Il faut dire que je viens de sortir d'une relation amoureuse tumultueuse avec une femme que j'ai beaucoup aimée, mais qui avait un sérieux problème avec lequel je n'avais jamais eu à composer dans mes relations précédentes. Elle était jalouse et possessive de façon maladive. Il m'a fallu beaucoup de courage pour terminer cette relation parce que j'étais terriblement amoureux de cette femme, mais, pour moi, c'était une question de survie. Donc six mois plus tard, je décide de partir en vacances sur un bateau de croisière destiné, semble-t-il, aux célibataires. Parfait pour moi, j'achète le concept.

Aussitôt embarqué sur cet énorme navire pouvant contenir deux mille passagers en plus des membres d'équipages, je pars en reconnaissance. Comme vous le savez probablement, ces paquebots sont de véritables villes flottantes. Il y a de tout à bord : restaurants, bibliothèques, salons, bars, discothèques, salles d'exercice et de nombreuses piscines et spas. Je ne suis pas du genre maillot-piscine-plage. Comme on dit, « je n'ai tout simplement pas le physique de l'emploi ». Avec un corps plutôt maigre, un mètre soixante-dix-huit, soixante-dix kg, j'ai les jambes plus pattes de chevreuil que de cheval. Vous voyez le portrait. Cela ne m'a jamais complexé puisque j'ai un charme fou (!) une fois tout habillé. M'enfin, je m'installe sur le pont supérieur avec un bon livre et je laisse la place aux ginos, genre m'as-tu-vu-le-body-ben-crémé, déjà installés sur le bord de la piscine.

Quelques minutes plus tard, j'entends de la musique venant du pont inférieur. Comme je le disais plus tôt, j'aime la musique et la danse, d'autant plus que celle-ci est une de mes préférées, la méringue[1], une musique traditionnelle haïtienne. Je m'approche du garde-fou pour constater que la fête s'installe. Comme on le dit en québécois, *le party est pogné !* Comme je ne peux résister à danser, je ferme mon livre, bien décidé à me joindre au groupe des joyeux fêtards. En descendant l'escalier menant au pont inférieur, je remarque, et c'est flagrant, que le groupe est divisé en deux : les Blancs d'un côté et, de l'autre, les Noirs.

Fidèle à mon habitude, je me dirige du côté des noirs et je décide de faire danser, à tour de rôle, les quatre femmes

1. Note de l'éditeur : ne pas confondre avec la danse merengue, d'origine dominicaine, au rythme plus accentué (Wikipédia).

assises au bar. La musique est tellement entraînante que je n'ai aucun problème à démontrer mes talents de danseur. Je flotte littéralement sur le plancher avec mes partenaires noires qui ont, je n'ai pas besoin de vous expliquer, la danse dans le sang pour ne pas dire dans les jambes. La quatrième personne à qui je propose une danse est une grande femme, presque aussi grande que moi, mince avec des jambes qui ne semblent plus finir. J'apprendrai plus tard qu'elle est d'origine jamaïcaine, là où les femmes sont réputées pour avoir cette particularité. Sitôt sur la piste de danse une belle complicité, je dirais même, intimité, s'installe entre nous. La méringue est une danse très collée-collée et même très sexy.

Avec mon plus beau sourire, je lui chuchote à l'oreille: «*It's magic to dance with you.*» Elle me répond, toujours en anglais: «*It's funny because you are dancing like a black man.*» Ai-je besoin de vous dire que c'est le plus beau compliment qu'un danseur blanc peut recevoir de la part de sa partenaire surtout si elle est noire? Je n'ai plus dansé avec d'autres personnes que Carol (c'est son prénom) en ce bel après-midi ensoleillé sur le pont d'un bateau de croisière en plein cœur de la mer des Antilles. Quand, plus tard, nous nous retrouvons à la salle à manger, je n'oublierai jamais combien elle était élégante dans une robe qui laissait voir toutes les formes d'un corps mince et élancé avec… des jambes qui n'en finissaient plus. Nous nous donnons rendez-vous à minuit sur le plus haut pont du bateau, tout juste à côté des canots de sauvetage. C'est une nuit de pleine lune, du moins, je le crois, car les belles rencontres se font toujours une nuit de pleine lune, non? M'enfin… on se connaît à peine, mais on veut se toucher, s'embrasser, arrêter le temps…

On approche la cinquantaine, mais notre cœur, lui, a toujours vingt ans. Afin de me connaître un peu plus (avant d'aller plus loin?), elle me demande ce que je fais dans la vie. Je lui réponds à la blague que je suis un vendeur de drogue. Bien entendu, Carol ne me croit pas, mais elle ouvre sa bourse et, me montrant son badge, elle me dit: «Moi, je suis policière, et ce n'est pas une blague». Je me souviendrai toujours qu'on a tellement ri de cet incident. Je venais de me faire prendre à mon jeu : Carol Mann était effectivement sergente dans la police de Chicago. Cette rencontre sur le *Love Boat* s'est soldée par un mariage et une expérience de vie très enrichissante pendant trois autres années dans le pays de l'Oncle Sam, dans la merveilleuse ville de Chicago. J'y reviendrai un peu plus loin.

Bangkok, avril 1999, cinquante et un ans

Je suis dans le nouvel aéroport Suvarnabhumi de Bangkok et comme des centaines d'autres passagers, j'attends le moment de monter dans l'avion qui me ramène au pays avec escales à l'aéroport de Narita à Tokyo, au Japon, et à Los Angeles. Tout à coup passe devant moi une véritable beauté. Elle est asiatique, mais je ne saurais dire si elle est Thaïlandaise ou Eurasienne. Elle est d'une rare splendeur que nous, les hommes, on qualifie souvent d'inapprochable, d'intouchable. D'après moi, elle a entre trente-cinq et quarante ans, elle porte des vêtements que je décrirais comme assez aguichants, mais pas vulgaires. Son maquillage est parfait. Elle a de longs cheveux noirs tombant sur ses épaules. Avec ses verres fumés, elle a la démarche d'une star. Inapprochable, je vous dis ! Toutes les têtes se retournent sur son passage et je devine qu'elle le sait. Comme tous les autres hommes, j'arrive difficilement à détacher mes yeux de ce spectacle. Finalement, elle disparaît dans la foule immense de l'aéroport. L'avion fait escale à Tokyo et, comme nous avons quatre bonnes heures à tuer au Japon, les passagers sont autorisés à se rendre magasiner dans la zone de transit de l'aéroport. Je me rappelle avoir acheté quelques souvenirs et une petite poupée japonaise en costume de geisha que je conserve précieusement à la maison avec tous mes autres souvenirs de voyages. En sortant de ce magasin, qui est-ce que j'aperçois ? La STAR !

Oui, oui, cette beauté ! Sans ses verres fumés, elle est encore plus belle ! Ici, j'ouvre une parenthèse pour expliquer un peu dans quel sentiment se trouve la majorité des hommes devant une situation où ils aimeraient aborder une femme qui leur plaît sans avoir le courage de le faire. Je connais beaucoup d'hommes qui ne vivent pas avec ce que j'appelle leur véritable choix féminin parce qu'ils n'ont pas eu le courage d'approcher celle qui représentait à leurs yeux la femme de leurs rêves. La peur du rejet est tellement forte qu'il y a dans ce bas monde plusieurs rendez-vous manqués. J'ose avouer bien humblement que malgré que je n'ai rien d'un dieu grec ni un corps d'Apollon, je ne manque pas de courage et qu'à quelques exceptions près, j'ai toujours abordé et j'aborde encore les femmes qui me plaisent quitte à me faire retourner comme une crêpe. Alors, revenons à cette STAR intouchable.

D'abord, comme je présume qu'elle est Thaïlandaise, je m'adresse à elle en langue thaïe, dont j'ai appris quelques mots pour me débrouiller. « *Sawadi krup, sabadi my krup? Pom cheu Jacko, kun cheu arry krup?* » (Bonjour, comment allez-vous ? Mon nom est Jacko et vous, quel est votre nom ?) L'effet escompté ne tarda pas et la magie s'installa immédiatement entre nous. « *Kun you ti ny rien put passa thaï my?* » (Où est-ce que vous avez appris à parler en thaï ?). Très impressionnée qu'un étranger ait appris sa langue, elle m'invita à m'asseoir à côté d'elle dans l'avion puisque ce siège était libre et qu'aucun homme n'avait eu le courage d'aller s'asseoir près d'une STAR.

En fait, c'était une chanteuse thaïlandaise peu connue dans son propre pays, mais une véritable star à Los Angeles, où elle allait présenter quelques spectacles. Sans vouloir être prétentieux, je dois vous dire qu'elle m'invita à descendre de l'avion et à rester avec elle à Los Angeles quelque temps. Encore là, après beaucoup d'hésitation, j'ai refusé. Vous allez peut-être vous demander pourquoi, puisque j'étais tout à fait libre. Tout simplement que toutes les fois où des occasions se sont présentées, je me suis toujours posé cette question : « Est-ce que c'est moi, Jacques Leclerc, l'homme que je suis, aussi charmant (!) que je puisse être ou bien est-ce mon passeport canadien qui l'intéresse ? »

Comme je n'ai jamais été absolument certain que j'étais bel et bien leur centre d'intérêt, dans de telles circonstances, je suis toujours rentré seul à la maison et je n'ai jamais regretté mes décisions. Cette belle et gentille STAR m'a laissé ses coordonnées inscrites au verso de sa photo. Plus tard, à ma fête, elle m'enverra une belle carte de souhaits qui est probablement encore dans ma boîte aux souvenirs. Mais que de belles rencontres et de moments intimes ai-je vécus durant tous ces voyages ! Il me faudrait écrire un autre livre pour relater toutes mes expériences en ce domaine. M'enfin, peut-être un jour ?

Je suis assis confortablement dans le hall d'un hôtel dans le quartier de Pratunham à Bangkok. C'est mon cinquième voyage dans le pays du sourire et parce que je baragouine un peu la langue, je me suis fait des amis. Ainsi avec mon ami thaïlandais nous attendons la visite d'une dame de la société thaïlandaise, en fait la femme d'un haut gradé des forces armées de ce pays. Aussitôt arrivée, elle me salue à la manière typique de son pays en se plaçant les mains jointes sur la poitrine et en s'inclinant légèrement, « *Sawadee kha* ». Je lui réponds « *Sawadee khrup* », ce qui veut dire bonjour en thaï. Après m'avoir examiné de la tête aux pieds, elle demande à mon ami le numéro de ma chambre où elle viendra me rejoindre un peu plus tard. Dans ce pays foncièrement pudique, malgré une réputation tout à fait contraire, une dame (surtout mariée) ne peut pas être vue entrer dans sa chambre d'hôtel accompagnée d'un étranger, encore moins la femme d'un colonel.

Même si cet épisode peut vous paraître un peu bizarre, je dois préciser que, dans ce cas précis, il ne s'agit nullement de prostitution. Au cours de mes nombreux voyages, j'ai remarqué que dans plusieurs pays la notion de fidélité conjugale n'est pas une valeur bien importante. Alors, d'un commun accord, les couples acceptent que l'un et l'autre fassent des rencontres que je qualifierais de « récréatives », à la condition que ce soit fait discrètement. L'ami qui m'a présenté cette dame avait été dans le passé l'amant de « la femme du colonel ».

Quelques minutes plus tard, on sonne à ma porte. La femme d'un certain âge, mais très élégante, entre dans ma chambre. Il faut dire que les Thaïlandaises paraissent toujours plus jeunes que leur âge. Elle semble ne pas avoir de temps à perdre, car, après quelques minutes dans la salle de bain, elle vient me rejoindre au lit. On raconte que les femmes asiatiques sont fascinées par notre pilosité. Il est arrivé assez souvent que des Thaïlandaises me flattent le bras comme elles le feraient à un petit chat. Les hommes asiatiques, en général, ne sont pas velus, alors il faut croire qu'elles cherchent des expériences différentes.

Quelques jours plus tard, dans ce même hôtel, je reçois un jeune couple référé par la femme du colonel. Elle est très jolie. Comme j'ai une chambre avec deux grands lits, le mari dormira dans un lit, sa femme et moi dans l'autre. Pendant que le mari ronfle, nous n'allons pas dormir beaucoup cette nuit-là. Cependant, une surprise m'attend au matin. En prenant le petit-déjeuner, le conjoint m'annonce que sa femme aimerait venir vivre avec moi au Canada. Si je lui donne douze mille dollars américains, il consentira à la laisser partir.

Youppelai! Je ne l'attendais pas, celle-là. Même si je lui demande, par politesse, quelque temps pour réfléchir à sa proposition, je n'ai jamais songé à y donner suite. Par contre, j'ai gardé longtemps dans mon portefeuille la note où il avait écrit le montant de la vente. J'ai encore dans mon ordinateur des photos de cette belle Thaïlandaise et dans ma tête des souvenirs d'une nuit torride et sans sommeil. Je n'ai pas raconté cette histoire à ma mère non plus...

Chapitre 11

Grèce, août 2001, cinquante-trois ans

Globe-trotter pour de bon

Après avoir visité l'Italie, à mon avis un des plus magnifiques pays du monde, je prends un traversier pour me rendre de Brindisi à Patras, en Grèce. Le bateau mettra plusieurs heures à traverser la mer Adriatique et j'ai amplement le temps de faire connaissance avec certains passagers. Quand un jeune couple polonais en voyage de noces apprend que je suis un globe-trotter canadien, ils m'invitent à les visiter en Pologne, une offre acceptée quelques années plus tard lors d'un passage à Cracovie. Je fais aussi la rencontre d'un groupe de jeunes Français avec qui j'ai eu beaucoup de plaisir une fois rendu à Athènes. L'une des filles du groupe m'invita par la suite à aller la visiter en Haute-Savoie en France. Je devais rater ce dernier rendez-vous à cause d'un changement d'horaire de train en Espagne. Mais ça, c'est une autre histoire.

Après avoir visité la très belle capitale de la Grèce, je prends un train de nuit pour me rendre à Thrace, dans le centre du pays. À la gare, j'ai beaucoup de difficultés à me faire comprendre, comme la majorité des Grecs ne parlent ni anglais ni français. Je n'arrive pas à acheter le bon billet pour une couchette dans un compartiment à quatre personnes. Une jeune dame se débrouillant assez bien avec la langue de Shakespeare vient à mon secours et, finalement, j'ai le billet requis pour une couchette. Au moment d'entrer dans le compartiment qui m'était assigné, j'ai oublié ces embêtements et je m'installe confortablement dans mon lit avec l'intention de me pencher sur un bon livre avant de m'endormir.

Cet état de grâce et de calme ne dura pas longtemps puisque, à peine trente minutes plus tard, arrivent trois gais lurons fervents de musique, et je devine qu'ils n'ont pas du tout les mêmes intentions que moi; la nuit s'annonce désormais plutôt longue et pénible. On fait malgré tout connaissance, ce sont des Égyptiens tout heureux de retourner dans leur pays après une longue absence. Ils sont bien gentils, mais assez bruyants.

Ne pouvant me concentrer sur ma lecture et encore moins dormir, vers 23 h, je décide d'aller prendre un café au wagon-restaurant. Il y a peu de monde à cette heure-là, mais, ô surprise, la jeune dame qui m'avait aidé à la gare est assise à une table devant un livre et un café. Elle me reconnaît et m'invite à m'asseoir. Ce que je fais avec plaisir, tout heureux de tuer le temps quelques heures avant de retourner dans le tapage de ma cabine. Nous faisons plus ample connaissance, elle s'appelle Anastasia, elle a 35 ans (enfin, je crois), et elle veut tout savoir de moi et de mon pays. Je ne peux pas dire que c'est une jolie fille. Elle est plutôt jeune, mais elle a un certain charme et, surtout, elle est très curieuse. Elle m'interroge tout en restant discrète sur elle-même. Le temps passe, les heures filent. Nous devenons, Ana et moi, de plus en plus intimes. Je suis toujours assis en face d'elle, quand, soudainement, elle me prend les mains. Un peu surpris, je la laisse faire. On continue de causer et de rigoler jusqu'à ce que le train s'arrête vers 5 h du matin dans une gare d'une petite ville dont je ne me rappelle plus le nom.

« Reste avec moi... »

Elle me dit qu'elle est arrivée à destination chez sa grand-mère et me demande de descendre avec elle sur le quai puisque, selon elle, le train restera en gare pour un bon dix minutes. Nous restons enlacés, sans mot dire (on s'est tout dit dans le train), on s'embrasse. Finalement, le train siffle, annonçant son départ imminent. Elle me sert très fort et me dit: « Jacko reste avec moi! Reste quelque temps, je vais te présenter à ma grand-mère, tu pourras dormir à la maison. » Que faire?

Le train siffle une dernière fois. Il ne me reste que quelques secondes pour prendre une décision. Alors que nous avons tous les deux les larmes aux yeux, je saute dans le train : l'attrait du voyage et de l'aventure était décidément plus fort que tout. J'étais parti pour un long voyage de quatre mois qui devait m'amener jusqu'en Inde. Je ne pouvais pas m'arrêter si loin de mon but.

Il y aura bien d'autres aventures sur mon chemin, ça, c'est clair dans ma tête. Ceci étant, je le dis sans gêne aucune, je ne me suis jamais privé de ces petits instants de bonheur et d'intimité au fil de mes rencontres. Toutes ces personnes qui sont passées dans ma vie, pour quelques instants ou pour une nuit, resteront dans ma mémoire et font désormais partie de mon parcours de vie. J'ai toujours pris soin de ne pas les blesser et, surtout, de ne rien promettre, sachant très bien que je ne pourrais tenir ces engagements.

Comme je vous l'ai raconté plus haut, j'ai vécu aux États-Unis pendant quelques années. Mais avant d'aller y demeurer en 1995, j'ai fait quelques voyages chez nos voisins du Sud. J'ai toujours aimé cet immense pays. Avec la diversité de ses paysages du nord au sud et de l'est à l'ouest, c'est un des plus frappants de la planète. Comment oublier le Grand Canyon, et la réserve des Navajos au Colorado ? J'ai roulé en voiture près des plages de Santa Barbara et Santa Monica en Californie au son de la musique des Beach Boys, plus près de nous, dans les Adirondacks, au mont Washington que j'ai escaladé à quelques reprises, plus loin, au parc national de Yellowstone. Bref, j'ai eu la chance de visiter au cours de ma vie presque tous les états américains. Mes premiers voyages dans ce pays remontent aux années 70 quand j'amenais mes enfants visiter Walt Disney en Floride. Alors voici pêle-mêle quelques aventures américaines.

Je suis à cette époque propriétaire de mon bar à Saint-Jérôme et ma relation avec ma blonde, Lison, bat de l'aile. Je l'ai mentionné dans un autre chapitre, elle est jalouse et possessive et, pour ma part, je manque d'air. Pendant ces périodes de tension dans notre vie de couple, je fous le camp n'importe où, fuyant les conflits. Cette fois-ci, je décide de partir seul vers la région d'Atlantic City et de Wildwood. Ces deux stations balnéaires me rappellent de beaux souvenirs puisque j'y suis allé vingt ans auparavant avec la Métropolitaine.

Après quelques jours passés à Atlantic City, je prends la route pour rentrer tranquillement au Québec. J'ai prévu dormir dans un petit hôtel sur le chemin du retour.

Avec ma mini-fourgonnette Nissan, je quitte la ville vers 22 h, il fait déjà nuit. Je suis complètement perdu dans mes pensées. Je réfléchis à ma relation amoureuse qui ne mène nulle part, me rendant bien compte que je devrai prendre une décision prochainement au sujet de ma vie de couple. Je m'arrête machinalement à un feu de circulation et là, soudainement, la portière droite de la voiture s'ouvre. Un homme, je dirais plutôt un géant, de race noire me dit: «*Eh Man, you give me a lift?*» Je n'ai pas le temps de répondre qu'il est déjà assis à côté de moi sur le siège du passager. Sa tête touche au plafond de la Nissan Accès, c'est vous dire sa taille! Je tente de garder mon calme, mais je dois avouer que, pour une des rares fois dans ma vie, j'ai peur. Après lui avoir demandé où il veut aller, il m'indique qu'on trouve un chemin approximativement un kilomètre plus loin. Une fois rendu là, il me demande de tourner à droite. Cette voie ne semble mener nulle part et, quand il me demande par la suite de tourner à gauche, je me rends bien compte qu'on se dirige tout droit vers un cimetière. Il fait noir, très noir. Je pense qu'au lieu de dormir à l'hôtel ce soir, il y a de fortes chances que je repose pour toujours dans ce cimetière.

Cinq cents mètres plus loin, je vois de la lumière provenant de ce qui me semble être une maison; elle est située juste en face du cimetière. Je me dis que cette maison est ma seule chance de m'en sortir. Je fais rapidement un plan dans ma tête: m'arrêter là et courir demander du secours. Mais voilà qu'en arrivant près de cette habitation, l'homme me dit: «*Stop, Man. I'm home. Thank you very much, Man, for the little ride.* » Ouf ! Les jambes molles comme de la guenille, je lui dis bonsoir.

Laissez-moi vous dire que depuis cette expérience qui aurait pu mal finir, chaque fois que je monte dans ma voiture, j'ai le réflexe de toujours, je dis bien toujours, verrouiller les quatre portières. Je vous conseille de faire de même.

Chicago, 1995, quarante-sept ans

Chicago, située sur la rive sud-ouest du lac Michigan, est la troisième plus grande ville des États-Unis. Elle fut au fil du temps le théâtre de violentes émeutes raciales, notamment celle de 1968 à la suite de l'assassinat de Martin Luther King. La Garde Nationale a dû alors intervenir et le bilan fut de neuf morts. À cause d'un certain Al Capone qui fut le parrain de la mafia de Chicago de 1925 à 1932, cette ville peine encore à se défaire de sa mauvaise réputation. Malgré tout, aujourd'hui Chicago est une belle ville, agréable, propre, très vivante, avec de larges avenues bordées d'espaces verts.

J'y habite alors avec Carol, ma deuxième épouse (j'ai l'habitude de l'appeler ma femme américaine, pour la distinguer de ma première conjointe, Joanne). Vous vous rappelez l'histoire du *Love Boat* ? De la policière que j'ai rencontrée ? Eh bien, nous nous sommes épousés plus sur un coup de tête que sur un coup de foudre. Enfin, nous habitons un condo au douzième étage d'un édifice situé juste en face du lac Michigan. Longeant le lac se trouve une magnifique piste cyclable. Pour l'amateur de vélo et de patin à roues alignées que je suis, c'est le paradis en plein centre-ville. Presque à chaque jour de beau temps, je parcours la ville d'est en ouest soit en patins soit en vélo. Il m'arrive de patiner sur une distance de cinquante kilomètres en une seule journée. Tout au début, quand je suis arrivé dans sa ville, ma femme m'avait mis en garde contre les risques et dangers qui pourraient survenir. Elle me répétait constamment : « Chicago, ce n'est pas le Québec, sois prudent. » Inutile de dire que, par son travail de policière, elle en a vu de toutes les couleurs. Mais fidèle à mon habitude, je ne tiens pas tellement compte de ses avertissements.

Située à deux pas de la maison, la piste cyclable est donc devenue mon terrain de jeux. Dès le lever du soleil sur le lac Michigan, je suis déjà sur mes patins. Carol m'explique le plus sérieusement du monde que la piste cyclable et la plage qui la côtoie sont divisées en plusieurs parties faciles à distinguer. Plus vous allez vers l'ouest et le centre-ville, plus vous rencontrez des gens de race blanche, et plus vous allez vers l'est, plus ce sont les Noirs qui dominent sur la plage et sur la piste cyclable. Au centre, il y a les Latinos. Selon Carol, cette dernière partie de la piste doit absolument être évitée. Elle a même dû y intervenir professionnellement à plusieurs reprises pour des histoires de drogue et de vol. « Jacko, promets-moi de ne pas aller à cet endroit tôt le matin », qu'elle me dit. « C'est dangereux. Va t'amuser à l'ouest avec les blancs. » Je raconte souvent à la blague que ma femme américaine est un biscuit Oréo : noire à l'extérieur et blanche à l'intérieur. Elle ne trouve pas cette plaisanterie très drôle. Carol est une Noire, très fière de ses origines jamaïcaines, mais je trouve qu'elle vit comme une blanche. M'enfin…

Voilà qu'un bon jour, je roule à plein régime, les écouteurs dans les oreilles. Je suis tout heureux de profiter de cette fraîcheur du matin avant la canicule. Je connais toutes les sections de la piste, la blanche, la noire et la latino, et je sais pertinemment que je m'approche de cette dernière, mais selon moi les revendeurs ont dû déjà quitter leurs postes à cette heure de l'avant-midi. Je me rends vite compte de mon erreur quand je vois quelques jeunes hommes me barrer complètement le chemin. Je pense faire demi-tour quand j'en aperçois d'autres derrière moi. Je m'arrête, j'enlève mes écouteurs et je leur dis bonjour en français. « Est-ce que tu cherches quelque chose, Old Man ? » me dit un des jeunes.

Malgré son ton, il a l'air plutôt sympathique et, de mon côté, je tente de ne pas montrer ma nervosité. Mais les paroles de Carol me viennent aussitôt dans la tête : « Jacko, Chicago is not Quebec. Be careful. » Je lui réponds que je ne cherche absolument rien à part faire du patin à roues alignées et que je serais très heureux de continuer ma petite balade. Un homme qui semble un peu plus âgé s'approche de moi et me demande, en français, si je suis de nationalité française. Je réponds que je suis un Canadien de langue française. Il me donne la main et semble heureux de faire ma connaissance. Il me dit qu'il n'aime pas les Français, mais que moi, ce n'est pas pareil, je suis Canadien. Il me conseille quand même de ne pas rôder dans les parages, il ne sera pas toujours là pour me venir en aide. Sur ce, on me laisse partir.

Il faut que je précise que j'aime beaucoup le coin latino de la plage. Dans l'après-midi, surtout en soirée et les week-ends, les familles s'installent avec les enfants, on voit les ballons et on entend la musique latine que j'aime beaucoup. C'est une belle ambiance de fête qui diffère tellement de ce qui se passe ici tôt le matin. Par le plus grand des hasards, j'ai revu, un dimanche, cet homme d'origine mexicaine qui parlait français et nous sommes devenus de bonnes connaissances, tout heureux qu'il était de pouvoir causer dans cette langue avec moi. C'est lui qui m'a reconnu.

Un *melting pot*, vraiment ?

À la suite de mon expérience américaine, j'ai l'impression que le fameux *melting pot* américain n'est plus qu'un mythe. Il y a bien un mélange des cultures, mais fondamentalement, il y a des quartiers pour les blancs, des quartiers pour les noirs, des quartiers pour les latinos, etc. Et puis il y a d'autres quartiers, italiens, grecs, irlandais, etc. Quand, quelques années plus tard, je suis allé vivre en Floride, j'ai remarqué la même ségrégation. Il y a aujourd'hui à Miami un quartier presque exclusivement cubain. Puisque j'étais marié à une femme noire, j'ai pu vivre dans cette communauté et j'y ai été très bien accepté.

À l'église où Trisha, la fille de Carol, chantait du gospel, j'étais le seul blanc dans la place, on ne pouvait pas me manquer. Les gens venaient me donner la main pour me souhaiter la bienvenue. Mais à d'autres occasions, j'ai connu le racisme. Par exemple, l'hiver, je me rendais patiner à un complexe fréquenté exclusivement par des personnes de race noire. Le gérant de la place ne se gênait pas pour me faire savoir que les blancs n'étaient pas les bienvenus. Malgré ses airs de petit bouledogue, je suis quand même toujours retourné à cet endroit puisqu'il était tout près de la maison.

J'ai bien aimé mes années «Chicago». J'y ai vécu de bien belles expériences! Trisha, ma belle-fille, est ce que les Américains appellent un top model. Elle pose pour de la publicité de produits de beauté. À l'époque où je vivais à Chicago, je pouvais admirer sa photo sur d'énormes panneaux publicitaires. Cette femme est une personne extraordinaire; malgré sa très grande beauté, elle est restée très simple. J'ai eu beaucoup de plaisir à me rendre faire des emplettes en compagnie de sa mère et d'elle. Parfois dans les magasins à grande surface, les employées la reconnaissaient et se bousculaient pour avoir son autographe sous le fier regard de sa mère. Aujourd'hui, Trisha Man vit à Hollywood, en Californie, avec son mari et elle tourne dans des soaps, ces populaires feuilletons télévisés.

Fort Lauderdale, Floride, 1996, quarante-huit ans

À l'automne 1996, je quitte la ville de Chicago pour me transformer en snowbird et aller vivre dans l'état de la Floride. Je rêve d'aller passer un hiver sous le chaud soleil du sud américain. Il faut dire que Chicago, que l'on surnomme la ville des vents, possède un climat très désagréable en hiver. Le vent du lac Michigan s'engouffre dans les rues de la ville et vous glace sur place. Je préfère mille fois mon Québec sous des tonnes de neige en hiver au vent glacial de Chicago.

À cause de son travail, Carol ne peut pas s'établir en Floride avec moi, mais elle me rendra visite à plusieurs occasions. Notre relation tire à sa fin, mais nous restons quand même de bons amis.

À Fort Lauderdale, j'ai la chance de trouver un bel appartement au deuxième étage d'un petit duplex situé directement sur la mer. Je n'ai qu'à descendre l'escalier et j'ai les pieds dans le sable. Et devinez quoi? Il s'y trouve une piste cyclable de plusieurs kilomètres. Bref, le paradis au pays des armes à feu.

L'état de la Floride, avec un peu plus de six meurtres pour cent mille habitants, est un des états les plus violents du pays.

West Palm Beach qui compte près de vingt-trois homicides pour le même nombre d'habitants, et Miami, qui en compte près de quatorze, sont les deux agglomérations les plus touchées par les crimes violents.

La propriétaire de mon logement n'y habite pas, elle vit dans un condo complètement sécurisé au centre-ville, le long du boulevard Las Olas. C'est une vieille dame juive très gentille. Elle est tellement contente de louer son bel appartement avec balcon donnant sur la mer à un homme seul et, surtout, de race blanche. Je lui mentionne que je suis marié à une Américaine qui est policière dans la ville de Chicago et qu'à cause de son travail, elle ne peut vivre avec moi en Floride, mais qu'elle me rendra visite à l'occasion. « Est-ce que vous avez des objections à ce qu'elle vienne passer quelques week-ends à mon appartement ? » « Non, bien sûr que non ! »

J'ai un permis de résident aux États-Unis, j'ai un numéro de sécurité sociale américaine et, bien sûr, un permis de travail. Je trouve un emploi comme serveur dans un immense hôtel de Fort Lauderdale. Carol doit venir ce week-end et elle restera seule à l'appartement pendant que je suis au travail. Je quitte la maison très tôt le matin et ma femme qui veut profiter de la magnifique température chaude et ensoleillée s'installe après mon départ confortablement sur le balcon avec un café et un journal.

Selon son habitude, le samedi, la propriétaire vient faire son tour afin de nettoyer l'endroit, donner un petit coup de balai sur les marches, etc. Arrivée à l'étage, elle aperçoit une belle grande femme noire, en peignoir blanc, assise confortablement en train de prendre un café. Elle lui dit sur un ton sec et sans équivoque : « Mais qu'est ce que vous faites là ? C'est l'appartement de monsieur Leclerc. Allez... » Carol lui répond avec son plus beau sourire : « Justement, je *suis* madame Leclerc. » Vous pouvez vous imaginer la scène : la propriétaire qui se confond en excuses ; plus elle parle, plus elle dit des bêtises. « Monsieur Leclerc ne m'avait pas dit que vous... Heu... » « Que sa femme était noire ! » d'ajouter Carol. J'imagine voir la tête de la propriétaire ! Nous éclatons de rire quand Carol me raconte son aventure du matin. Ma femme m'a raconté tellement d'histoires de racisme que je comprends combien cela a dû être difficile, il y a vingt-cinq ans, pour une femme d'entrer dans la police, surtout pour une Noire !

Le désert du Nevada, avril 1998, cinquante ans

Pour fêter mes cinquante ans, des amis et moi sommes allés à Las Vegas. J'avais visité la ville « du vice et du jeu » vingt ans auparavant. J'ai toujours aimé cette ville, mais pas pour le jeu puisque je n'en suis pas un adepte. De toute ma vie, je ne crois pas avoir dépensé plus de vingt dollars dans un casino. J'aime cette destination pour les spectacles, pour l'ambiance unique et pour le *strip*, le boulevard où se trouvent les plus grands hôtels-casinos de Las Vegas. À l'origine, Las Vegas n'était qu'un simple espace marécageux alimenté par des sources jaillies au milieu du désert de Mojave. Il n'a pas fallu bien longtemps avant qu'elle ne soit surnommée Sin City, la ville du péché, à cause du jeu, des spectacles pour adultes et de la prostitution légalisée. Tout n'est que de la frime dans cette ville, mais de la frime quand même bien montée. Aujourd'hui, Las Vegas est une attraction touristique de premier ordre aux États-Unis. À preuve, en 2010, la ville du jeu a accueilli plus de trente-sept millions de visiteurs.

Nous profitons de ce voyage pour visiter le fameux barrage Hoover et le lac Mead à une cinquantaine de kilomètres de Las Vegas. En fait, c'est la construction du barrage Hoover qui entraîna la création du réservoir Mead. Nous tombons par hasard sur une publicité d'un commerce qui offre la location de bateaux-maisons sur le lac. Nous voilà partis sur cet immense lac avec des provisions pour trois jours. Nous ancrons le bateau dans une baie magnifique, en plein cœur d'un désert, à l'abri des regards indiscrets. Nous restons dans ce paradis deux jours.

Un matin, lors de mon jogging matinal dans le désert, je m'éloigne de notre emplacement pour m'enfoncer un peu plus en terre inconnue. Ce désert n'est pas nécessairement plat, il est plutôt rocailleux avec des petites collines. Je cours, je monte et descends les collines, je m'amuse comme un enfant jusqu'à ce que, arrivé au sommet d'une colline, j'arrive face à face avec un coyote. Ouf ! Que faire ? J'ai peur, et lui, aussi ! Je crois que je l'ai surpris. Je n'ai jamais vu de ma vie un animal sauvage à trente centimètres de mon nez. Il ne m'attendait pas du tout ! C'est son territoire, il ne m'a pas vu venir et il n'a pas eu le temps de fuir. Il me montre ses crocs. D'instinct, je me penche et je ramasse une pierre. À mon grand étonnement, ce geste a pour effet de l'apeurer et le fait fuir. Ouf, je l'ai échappé belle, mais qu'est-ce qui serait arrivé si j'étais arrivé face à face avec une meute de coyotes ? Je n'ose même pas y penser !

Chapitre 12

Rio de Janeiro, avril 1997, quarante-neuf ans

En 1997, je fais un court séjour à Rio de Janeiro avant de me rendre dans les îles Maldives, prenant quand même le temps d'admirer au passage les corps bronzés des Brésiliennes sur la très populaire plage de Copacabana. Le soir venu, on ne fait pas dix pas en bordure de la mer avant qu'une fille presque nue nous offre ses services *spécialisés*. Je dois avouer qu'elles sont très belles, les Copacabana's girls. Difficile d'y résister !

Bien entendu, je monte sur le Pain de Sucre avant d'aller voir de près la statue du Christ-Rédempteur sur le Corcovado. Haut de trente-huit mètres, ce monument est l'un des attraits touristiques les plus fréquentés de Rio depuis 1931, car il offre une vue panoramique tant sur le centre-ville que la plage de Copacabana.

Avant de partir pour les Maldives avec des amis, je me rends à Recife et, de là, nous descendons l'Amazone. C'est à cet endroit que j'ai pu observer pour la première fois les dauphins roses, connus sous le nom de dauphin de l'Amazone. C'est la plus grande espèce de dauphins d'eau douce au monde. Une fois rendu aux Maldives, j'aurai le plaisir de nager à côté de dauphins, mais d'une autre espèce.

Vietnam, octobre 1998, cinquante ans

Lorsque l'avion descend sur la piste d'atterrissage de l'aéroport Tan Son Nhat de Saïgon, j'ai le cœur lourd et la larme à l'œil à cause de toutes ces images qui se bousculent dans ma tête. Depuis la fin de la guerre du Vietnam, cela avait été *mon* rêve, venir voir de mes propres yeux les habitants de ce pays qui ont tenu tête victorieusement à la puissante armée américaine. Mais à quel prix : cinq millions de morts, des centaines de milliers d'hommes, de femmes et d'enfants handicapés pour la vie et des milliers d'orphelins. Et je pense à l'un d'entre eux, à mon fils, mon petit Van Thann Huong.

Je me promène tranquillement dans la nouvelle capitale du Vietnam réunifié. En effet, après la guerre, le Vietnam du Nord et le Vietnam du Sud furent réunifiés et les autorités communistes décidèrent de faire de Hanoï, l'ancienne capitale du Nord, la capitale du pays. Il y avait, à cette époque, dans les rues de cette ville des haut-parleurs qui crachaient de la propagande communiste à toute heure du jour. Lors de mon dernier voyage dans cette ville, j'ai remarqué que les haut-parleurs s'étaient tus.

Après avoir visité Hô Chi Minh-Ville, l'ancienne ville de Saïgon, que je trouvais trop bruyant, j'apprécie le calme de Hanoï. Avec ses beaux quartiers, ses terrasses fleuries et ce merveilleux petit lac Hoan Kiem en plein centre-ville, je l'adore. Hanoï semble une ville bien zen. Il est agréable de regarder les femmes qui portent la robe traditionnelle vietnamienne, l'*Ao dài*. Elle est portée par la quasi-totalité des femmes lors des cérémonies officielles, des mariages, ou encore par des étudiantes et les hôtesses. Très tôt le matin, j'aime aller dans les parcs pratiquer le Tai-chi en présence de Vietnamiens. Cela semble les amuser de voir un Canadien faire cette sorte de danse au ralenti.

Un jour que je flâne dans les rues de cette ville à la recherche d'un souvenir à apporter à ma mère, un mouvement de panique s'empare soudainement des gens tout autour de moi. Un camion militaire s'arrête sec et plusieurs soldats armés sautent dans la rue et se ruent dans un magasin de type dépanneur. En l'espace de quelques secondes, la rue se vide. De mon côté, je n'ai pas vraiment le temps de réagir ni d'avoir peur, je reste figé à regarder les gens courir, les étales tomber par terre avec leur contenu de fruits et légumes. Moins de trois minutes plus tard, les soldats sortent du magasin avec deux personnes. Ils les font monter dans le camion et ils repartent.

Dès leur départ, la rue se remplit à nouveau, les habitants du quartier semblent même maintenant s'amuser de la situation. Ils ramassent ce qui est tombé par terre et la vie continue comme si rien ne s'était passé. De mon côté, c'est comme si j'étais en train d'assister à une scène de film. Je ne sais plus si c'est un rêve ou si c'est bien réel. M'enfin, j'achète quelques cartes postales et je reprends ma route. Est-ce que les personnes amenées par les soldats étaient hostiles au gouvernement communiste? Est-ce qu'ils faisaient de la contrebande? Je n'ai jamais eu de réponses à mes questions. Ça ne semblait pas être très important pour les gens de la place. Autres pays, autres mœurs.

Quelques jours plus tard, toujours à Hanoï, je cherche le pont Long Biên, construit à l'époque de l'Indochine française. Cette construction est considérée comme une merveille d'architecture. Malgré leurs intenses bombardements lors de la guerre, les Américains ne l'ont pas détruit complètement.

Depuis mes tout débuts comme globe-trotter, j'ai constamment sur moi un guide de voyage, toujours le même, le *Lonely Planet*. Ce guide est très pratique lorsque je visite une nouvelle ville pour trouver les sites les plus intéressants à visiter. J'en ai essayé d'autres comme le *Guide du Routard*, mais je reviens toujours à mon préféré. Donc, je cherche ce fameux ouvrage qui est le pont le plus photographié par les touristes, surtout français, et, bien entendu, mon guide de voyage m'indique comment m'y rendre, mais il ajoute un avertissement: «Surtout ne pas prendre de photos à partir de la plage au bout de la rue principale.» Et quand le *Lonely Planet* donne un avertissement, il convient de le prendre au sérieux. On y informe le voyageur qu'une bande de voyous se cache dans les parages prêts à voler, et même brutaliser les gens qui se rendent à cet endroit pour prendre des photos. Effectivement, quelques jours auparavant, un couple d'Allemands habitant à mon hôtel s'était fait brutaliser et voler à cet endroit précis.

Donc, ce jour-là, je marche dans les rues de Hanoï en direction du fleuve Rouge où est situé le pont en question, m'arrêtant en chemin pour visiter une pagode, un temple et différents magasins sur ma route. Je ne prête pas trop attention aux alentours quand, tout à coup, je m'aperçois que je suis rendu à la plage au bout de la rue principale. J'aperçois le pont Long Biên et, trop heureux de le prendre en photo, j'en oublie l'avertissement de mon guide de voyage. Juste le temps de prendre un ou deux clichés, me voilà entouré d'une bande de ce que je crois être des voyous, tel que décrit dans mon guide. Je me dis à moi-même : « Trop tard, t'es dans la merde. »

Je dois avouer que ce n'est pas la première fois que ça m'arrive et je m'en suis toujours sorti, mais quand même. L'important est de rester calme. Par expérience, j'utilise la technique de l'amitié. Il faut se mettre dans la tête que c'est bien difficile d'agresser quelqu'un qui veut être ton ami. Alors, je n'attends pas qu'ils viennent vers moi, c'est moi qui vais vers eux, la main tendue avec mon plus beau sourire. Je repère rapidement le chef (il y a toujours un leader), je lui donne la main et la retiens afin qu'il soit dans la photo avec moi. Je lui fais cette demande comme si c'était un honneur pour moi. Je demande à son compagnon (n'importe lequel) de prendre la photo, enfin plusieurs photos. Ensuite vient le tour du compagnon et un autre et un autre.

Quinze minutes plus tard, nous sommes tous copains. Je quitte la place avec le sourire en envoyant la main à mes nouvelles *connaissances*, mais je me dis en moi-même : « Ouf, je l'ai encore une fois échappé belle ! »

Le Vietnam est un petit pays tout en longueur comme un serpent ; je l'ai parcouru du sud au nord, parfois en voiture avec guide-chauffeur et parfois en train. Idéalement, je prends un train de nuit pour deux raisons : la première, je peux dormir et me reposer pendant un long trajet et, deuxièmement, j'économise une nuitée à l'hôtel. Au Vietnam, les trains sont lents, mais généralement bien organisés et habituellement ponctuels. Les compartiments à quatre couchettes sont propres et confortables. C'est toujours ces derniers que je réserve pour mes longs parcours que ce soit au Vietnam ou dans d'autres pays. Je suis allé plusieurs fois au Vietnam, mais, en novembre 1998, c'était mon premier voyage dans ce pays. Je suis accompagné d'une amie québécoise et nous avons obtenu les couchettes du haut dans un compartiment pour quatre personnes.

Vers 22 h, nous nous préparons à dormir quand deux jeunes soldats dans la trentaine entrent dans le compartiment et viennent occuper les couchettes en dessous des nôtres. Je remarque immédiatement qu'ils entrent avec plusieurs bouteilles de bière et ne semblent pas prêts à dormir. Je crois comprendre qu'ils ne se sont pas vus depuis longtemps, puisqu'ils ont beaucoup, mais beaucoup d'histoires à se raconter. Quand ma compagne doit descendre du lit pour un besoin naturel, c'est avec une gentillesse quelque peu exagérée qu'ils l'aident à mettre les pieds sur les barreaux de la petite échelle. Quand, quelques minutes plus tard, elle revient, le même petit manège se reproduit. Avec son plus beau sourire, elle les remercie, mais ce sourire semble avoir déclenché les hormones reproductrices de nos deux vaillants soldats qui entreprennent une cour assidue auprès de « la belle au bois dormant ». Je leur demande de se calmer et de s'en tenir à bien arroser leurs retrouvailles.

L'alcool a dû leur donner du courage puisque, quelques minutes plus tard, la sérénade reprend de plus belle. Alors le chevalier servant que je suis est forcé d'intervenir. La barrière de la langue ne prêtant pas à un dialogue très élaboré, je pousse à l'extérieur du compartiment celui qui est le plus près de la porte. Le deuxième n'avait sûrement pas dû faire un entraînement bien complet puisque je l'ai maîtrisé très rapidement et il est allé rejoindre rapidement son copain déjà allongé dans le corridor. Je ne veux quand même pas donner l'impression que j'ai les talents de Bruce Lee : les deux soldats étaient tout simplement trop saouls pour se défendre adéquatement.

Très rapidement, je décide de barrer la porte de notre compartiment, mais, surprise, la poignée est brisée. Quoi faire ? Comme j'ai toujours de la corde dans mon sac à dos, j'entreprends d'attacher la poignée au cadrage de porte. Cela a fonctionné et, par chance, je n'ai jamais plus revu nos deux Don Juan vietnamiens.

Chapitre 13

Avril 1999, cinquante et un ans

Le Bhoutan, un pays bien spécial

L'Airbus A319 de la compagnie Druk Air atterrit à l'aéroport international de Paro au Bhoutan. La manœuvre est périlleuse. Le pays est enclavé entre l'Inde et le Tibet dans la chaîne de l'Himalaya et c'est à la toute dernière minute que j'aperçois la minuscule piste d'atterrissage. Lorsque je descends de l'avion, je regarde les pics des montagnes environnantes et je n'ose même pas m'imaginer comment cet avion sortira de cette cuvette au moment de mon départ. On verra bien ce jour-là !

Dans une volonté du gouvernement de ce pays de préserver son environnement et sa culture, le tourisme y est volontairement limité. Oubliez le tourisme de masse ! Un très petit nombre de visas est accordé à la condition de visiter le pays accompagné en permanence d'un guide touristique. En fait, ce dernier est un agent du gouvernement bhoutanais et il ne nous quitte pas d'une semelle. J'ai le souvenir très frais à ma mémoire d'avoir, une nuit, ouvert la porte de ma chambre et d'y avoir trouvé mon guide couché en chien de fusil devant ma porte. Le gouvernement tient tellement à conserver sa culture ancestrale qu'une loi incite la population à porter les vêtements traditionnels que sont le *gho* pour les hommes, et la *kira*, pour les femmes. Un soir que je suis sur la Grande Place de la ville, je vois la police arrêter des adolescents et les embarquer dans un camion. Mon guide m'informe alors que c'est tout simplement parce qu'ils ne sont pas vêtus convenablement.

Quand je suis arrivé au Bhoutan, en 1999, la télévision venait tout juste de faire son apparition. C'était le dernier pays du monde à recevoir cette boîte à surprises. Mes amis et moi avions été invités à souper chez un membre de la famille de notre guide, et la grand-maman était tellement fière de nous montrer son téléviseur ! À l'époque, il fallait, bien évidemment, oublier l'Internet. Le Bhoutan est le seul pays, que je connaisse qui calcule son indice de richesse non pas avec le P.N.B. (produit national brut), mais avec le B.N.B (bonheur national brut). Est-ce que ça fonctionne ? Je ne suis pas resté dans ce pays assez longtemps pour le savoir. Ce que je sais, par contre, c'est que le taux de suicide y est beaucoup moins élevé qu'au Québec.

Il y a de très beaux monastères, que l'on appelle *dzong*, au Bhoutan. La grande majorité de ces monastères furent construits entre le XIIe et le XVIIe siècle. À cette époque, le *dzong* servait de centre religieux et militaire. C'était aussi un lieu d'échanges et parfois le site d'un festival religieux. J'ai eu l'occasion de visiter un des plus anciens, le *dzong* de Rinpung, à Paro. Il abrite une communauté de deux cents moines et il sert d'école pour les enfants.

Comme je l'ai mentionné précédemment, je suis un montagnard et je ne peux résister à l'appel de la montagne. Le Taktshang est le plus célèbre des monastères bouddhistes du Bhoutan. Il est accroché à une falaise à trois mille cent vingt mètres d'altitude. J'annonce à mon guide que je veux le visiter ; il me répond qu'il n'y a pas de problème, il va faire préparer une expédition avec des mules pour le lendemain matin. Quand je lui dis que je veux faire l'expédition sur mes deux jambes, je crois sincèrement que je lui ai scié les siennes. Devant mon insistance, il finit par accepter, et c'est très tôt le matin que nous entreprenons notre trek de cinq heures pour nous rendre jusqu'au monastère. Nous dînons sur place avec les moines et nous visitons le Taktshang qui comprend sept temples. C'est un des plus magnifiques monastères qu'il m'a été donné de visiter. Après avoir fait un peu de Tai-chi en haute altitude, il est temps d'entreprendre la descente que nous avons faite en trois petites heures ! Ai-je besoin de vous dire que j'ai brûlé mon guide ? Je crois qu'il a très bien dormi cette nuit-là ! Moi aussi, d'ailleurs !

Montagne et mal des montagnes

Depuis une vingtaine d'années, le trek ou randonnée pédestre est un mode de voyage en forte progression. Elle permet de découvrir le monde à son rythme et elle a un faible impact sur l'environnement. Il n'est pas nécessaire d'aller en haute altitude pour faire de la randonnée pédestre. Ainsi, j'ai eu beaucoup de plaisir à marcher dans les Pyrénées en France. C'est magnifique ! Toujours en France, j'ai fait un beau trek aux environs de Chamonix. Aux États-Unis, j'aime escalader le mont Washington au New Hampshire. Mais, j'ai vraiment pris goût à la haute montagne lorsque je suis allé faire un trek de quatre jours à Pokhara, au Népal. Il n'y a pas d'autres endroits dans ce pays où les montagnes prennent de l'altitude aussi rapidement.

Dans cette région, sur moins de trente kilomètres, l'altitude passe rapidement de mille mètres à plus de sept mille cinq cents mètres. C'est un véritable paradis pour le trekking, à la condition de ne pas avoir le mal aigu des montagnes. C'est un syndrome souffrant, lié à une montée trop rapide en haute altitude. Il se caractérise par des maux de tête, des nausées et des vomissements. Fort heureusement, mon corps ne connait pas ce problème en altitude, ce que j'ai pu constater lors de mon voyage au Bhoutan. La femme de mon ami Paul ne peut pas dépasser les deux mille mètres. Très rapidement, elle est tombée malade, et il fallut redescendre pour stabiliser sa situation.

Comme toute bonne chose a une fin, je dois quitter à regret ce pays unique au monde qu'est le Bhoutan. Je n'oublierai pas de si tôt ce peuple accueillant, vêtu de leurs costumes traditionnels, les spectacles de danse et de musique bhoutanaise. Mais, ce dont je vais certainement toujours me souvenir, c'est le décollage.

L'appareil est immobile au bout de la piste qui me semble bien courte. Les moteurs tournent à plein régime, et moi, écrasé au fond de mon siège, je vois le mur de roche qui s'élève en fin de piste. Le pilote desserre les freins, on roule un peu et très rapidement l'avion lève le nez. Mais la montagne, elle, se rapproche dangereusement. Je détourne le regard en pensant que jamais nous ne sortirons de cette cuvette ! Si le train d'atterrissage n'avait pas été rentré, je vous jure qu'il aurait accroché la cime de la montagne ! Bon, j'exagère peut-être un peu, m'enfin, c'est ce que j'ai ressenti : j'ai eu l'impression que la carlingue frôlait la cime des arbres ! Ouf ! Enfin, nous survolons l'Himalaya.

Chapitre 14

Polynésie française, novembre 1999, cinquante-deux ans

Le Pacifique

Cette année-là, avec des amis, pour fêter le nouveau siècle qui va commencer, nous décidons d'acheter des billets d'avion « Tour du monde » et de partir pour plusieurs mois. Après l'Australie et la Nouvelle-Zélande, nous visitons les îles du Pacifique : Tonga, Cook, Vanuatu et, finalement, la Polynésie française. Pour moi, voir Tahiti de mes yeux, cela ne pouvait se passer qu'en rêve. Mais non.

Nous sommes accueillis à l'aéroport de Papeete par de charmantes Polynésiennes vêtues de jupes en paille et de soutien-gorge en noix de cocotier. Tout en balançant leur corps sur une musique ravissante, elles nous placent des colliers de fleurs autour du cou. Quelques instants plus tard, nous participons à une grande fête organisée par le village et nous assistons au spectacle du feu. Quels beaux souvenirs de ces soirées de danse avec, à ce qu'on dit, les plus belles femmes du monde.

Quelques jours plus tard, nous montons dans un vieux coucou à six passagers. Je me rappelle avoir hésité avant d'embarquer dans cet appareil dont les ailes me semblaient attachées avec de la broche. Je crois même avoir aperçu des fissures dans la carlingue. M'enfin, à la grâce de Dieu ou du destin, on s'envole en destination des îles Fidji.

Nous atterrissons sur une piste en terre, pour ne pas dire dans un champ de patates. Ce qu'il est convenu d'appeler l'aérogare ressemble à une cabane de bûcherons avec toilette extérieure. Tout cela me convient parfaitement, en fait je suis ici pour vivre l'aventure et ce n'est pas les aventures qui manquent. Des porteurs vêtus d'un pagne accompagnés d'un guide nous accompagnent dans la jungle où se balancent au-dessus de nos têtes des centaines de petits singes. Une véritable scène de film. Je me prends pour Johnny Weissmuller jouant Tarzan.

Arrivé à quelques mètres du village, le guide s'arrête et nous explique: nous devons, selon la coutume, prévenir les habitants que nous arrivons. Le guide n'a pas eu le temps de finir sa phrase que nous sommes encerclés par plusieurs indigènes qui foncent littéralement sur nous en hurlant et qui nous menacent de leurs lances et bâtons. Ma compagne de voyage pousse un cri de terreur. Pour ma part, je sursaute, mais je ne peux pas croire à une véritable attaque. En fait, c'est plutôt une initiation que l'on fait subir aux apprentis-touristes-de-brousse que nous sommes. Quelques instants plus tard, accompagnés de ces guerriers point du tout méchants, nous ferons une entrée triomphale dans le village.

On nous installe dans des huttes en bambou et on nous prépare un délicieux repas. Mais auparavant, nous assistons à un rituel bien particulier aux Fidji: la cérémonie du kava. Vieille de plusieurs siècles, cette cérémonie est régie par la coutume, partager le kava est un signe de paix, d'amitié et de bienvenue. Le kava est préparé à partir d'une racine qui est mâchée, puis placée sur une feuille de bananier. Laissée quelques heures au soleil, la pâte obtenue est ensuite diluée avec un peu d'eau et elle est servie dans une moitié de noix de coco évidée. La cérémonie est très impressionnante.

Assis au milieu de la grande place, le chef du village agite cette espèce de mixture dans une énorme cuvette. Les gens du village ainsi que les invités sont assis par terre, en cercle, et psalmodient une incantation. Tout à coup, le chef crie *TALO* et les gens répètent *TALO, TALO*. Au même moment, le chef remplit une moitié de noix de coco à même la bassine et la remet à la première personne assise à sa gauche qui, elle, en prend une gorgée et la passe à son tour à son voisin et ainsi de suite. Tout le monde doit en boire.

Après avoir vu la préparation du kava, Boop, la femme de mon ami, n'est pas tellement enthousiaste à l'idée de boire cette mixture, et surtout de mettre ses lèvres sur le même contenant que dix autres personnes ont humecté avant elle. Son mari lui chuchote que refuser serait une insulte à l'endroit du chef et du village. Alors, en se pinçant le nez, elle porte le récipient à sa bouche et... j'étais le suivant. Le goût n'est pas terrible, mais la cérémonie, elle, est très impressionnante.

Après la cérémonie du kava, on nous invite à manger le *mahimae*. En me dirigeant vers le lieu du repas, j'éprouve soudainement un malaise qui n'a rien à voir, je crois, avec le kava : mes jambes deviennent molles comme du chiffon, j'ai un étourdissement et finalement mes amis me déposent sur un grabat avant que je ne m'évanouisse. Comme c'est la deuxième fois que cela m'arrive en voyage, mon ami Paul Unterberg me demande :

— Jacques, c'est quoi, ton problème ?

— Je ne sais pas exactement, ai-je répondu, mais quand j'étais plus jeune dans la trentaine, j'ai été malade, très malade.

De retour au pays, Paul utilise ses nombreux contacts pour me faire rencontrer un des plus éminents médecins du Canada. À la suite d'un examen médical approfondi, je vais enfin découvrir la source de mes problèmes de santé.

Selon ce médecin hématologue, ma formule sanguine n'est pas tout à fait normale. Selon différentes analyses, on aurait découvert que le titrage de mon sang serait trop faible en globules blancs, ce qui donne les mêmes symptômes qu'une mononucléose. Selon ce médecin, la cause de ce problème proviendrait de la moelle osseuse. Lors de ma dernière visite chez le médecin, il ne comprenait tout simplement pas comment j'arrivais à me taper cent cinquante kilomètres de vélo dans une même journée. Selon le dossier qu'il avait devant lui, je devrais être une personne souffrant de fatigue aiguë. Alors, à la blague, je lui lance comme ça : « Docteur, essayez donc de me suivre en patins à roulettes ! »

Je me demande toujours pourquoi, à l'âge de trente ans, j'ai été si malade et pendant si longtemps. Le problème serait venu de la moelle osseuse. Alors la question se pose : pourquoi ai-je aujourd'hui tant d'énergie ?

Il n'est pas facile à la science de répondre à cette question, et les médecins se perdent en conjectures. J'ose avancer quelques hypothèses : changement de nourriture ; je ne mange plus de viande rouge, mais beaucoup de poisson et de fruits de mer. J'ai éliminé les gras et je ne mange jamais de fast food. J'ai écarté les sucres et ne prends plus jamais de boissons gazeuses. Je fais beaucoup d'exercice et pratique plusieurs sports, dont le vélo, la marche en montagne et le tennis de table. Est-ce que ces changements sont le secret de mon énergie ? Je ne peux le certifier, mais je suis convaincu qu'un autre facteur important vient influencer ma condition physique. Mon moral : je suis un éternel optimiste et je refuse de me voir malade.

Chapitre 15

Bhounma, l'histoire d'une réfugiée

Un samedi soir de retour à Montréal, je me rends à la salle de danse Le Rendez-vous, rue Lacordaire. Cet établissement porte bien son nom puisque c'est le rendez-vous de tous les amateurs de danse de Montréal, et, même, de l'extérieur. La piste de danse est immense et la musique, très entraînante. Luc Laverdure, le propriétaire, est un hôte extraordinaire qui accueille sa clientèle depuis plus de vingt-huit ans. Tous les week-ends, plus de huit cents personnes se rencontrent soit pour danser ou tout simplement pour se faire de nouveaux amis. C'est là qu'un samedi soir de printemps, j'ai fait la connaissance de Bhounma.

Est-ce que je vous ai dit que j'avais du talent pour la danse ? Oui, je vous l'ai dit même plus d'une fois, j'ai beaucoup de talent (vous aurez remarqué que je ne pratique pas la fausse humilité). En fait, je danse depuis que je suis petit. À l'adolescence, j'aimais faire mes prestations devant mes tantes et mes oncles à la maison. Vers l'âge de seize ans, j'allais danser dans les sous-sols de salles paroissiales et, ensuite, dans des salles pour les jeunes de moins de dix-huit ans. Je me souviens en particulier d'une salle sur la rue Masson près d'Iberville, Le Golden. J'y faisais mes petits numéros en tentant d'imiter le chanteur-danseur Pierre Perpall. (La vie a fait en sorte que vingt-cinq années plus tard, Pierre Perpall est devenu un de mes meilleurs amis). Bref, ce samedi soir, au Rendez-vous, j'aperçois une toute petite femme asiatique (elles sont toutes petites) et, à ce moment, je crois que c'est une Thaïlandaise. Comme je baragouine le thaïlandais, je m'adresse à elle dans cette langue. Elle se retourne toute étonnée et je l'invite à danser une valse. Ni elle ni moi ne savions à ce moment que cette danse allait nous faire vivre une aventure formidable. Laissez-moi vous raconter.

Le soir même de cette rencontre, comme je suis curieux de connaître son histoire, j'invite Bhounma à déjeuner pour le lendemain. Assise en face de moi, cette petite dame aux yeux rieurs me raconte qu'elle est arrivée au Québec dix-huit ans plus tôt. Elle n'est pas thaïlandaise, mais bien laotienne et en plus de sa langue maternelle, elle parle l'anglais, un peu le français, le mandarin et le thaïlandais. Paradoxalement, elle ne sait pas lire ni écrire : elle a appris toutes ces langues à l'oreille. Elle habite sur la Rive-Sud de Montréal et, comme beaucoup de ces femmes immigrantes et non instruites, elle travaille dans un atelier de confection de vêtements sur la rue Chabanel. Monoparentale, elle élève ses deux garçons seule, et elle paiera même leurs études universitaires. Comment est-elle arrivée seule à Montréal ?

Elle me raconte que lors de son départ, il y a vingt-cinq ans, son pays est en guerre, son mari est décédé lors de l'explosion d'une mine antipersonnel et sa ville, Ventiane, est sous occupation ennemie. Une nuit, elle tente le tout pour le tout et décide de s'enfuir avec ses deux enfants, alors âgés de deux et quatre ans. Elle place les deux petits dans un sac qu'elle s'attache sur le dos, elle trouve une vieille pirogue et traverse le fleuve Mékong pour se réfugier dans le pays voisin, la Thaïlande. Elle devra attendre cinq ans dans un camp thaïlandais de réfugiés avant de pouvoir partir pour un autre camp aux États-Unis. Après deux années passées dans ce dernier refuge, elle obtiendra enfin le statut de réfugiée politique et viendra s'installer au Canada. Bien intégrée à la communauté québécoise et passionnée de danse, Bhounma va danser au Rendez-vous presque toutes les fins de semaine.

Quelques semaines plus tard, je raconte cette histoire à mon ami Paul Unterberg, et son épouse, Boop, une Thaïlandaise, et tout bonnement, ils nous invitent Bhounma et moi à souper. Au cours de ce repas mémorable, Paul, qui parle parfaitement la langue thaïe, demande à Bhounma si elle est retournée dans son pays depuis que la guerre est finie. À notre étonnement, la réponse est non. Pourquoi ? *My mi tang.* Pas d'argent. Je me souviens que durant cette soirée Paul me prend à part et me dit : « Jacques, on part pour l'Asie cet automne, pourquoi ne pas offrir à Bhounma un petit voyage dans son pays natal ? »

De retour à table, je demande à notre invitée si elle a le goût de revoir son pays et je lui annonce que si c'est le cas, on l'amène à nos frais. Bhounma se met à pleurer. Je revois toujours le visage éploré de cette petite femme délicate. Comme c'est la coutume en Asie, elle place ses mains jointes sur sa poitrine et, toujours selon la coutume, elle s'incline doucement en disant : *Kup kun ka. Kup kun mak mak Jacko.*

Quelque six mois plus tard, nous partons tous les quatre pour l'Asie. Après un court arrêt à Kyoto au Japon, nous arrivons à Ventiane au Laos. Sitôt arrivés, nous nous mettons à la recherche des Inthavong, la famille de Bhounma. Comme les recherches peuvent prendre beaucoup de temps, il vaut mieux se mettre à l'œuvre le plus tôt possible. Comment retrouver sa famille qu'elle n'a pas vue et avec laquelle elle n'a pas communiqué pendant si longtemps ? C'est Paul qui a eu l'idée de demander de l'aide aux chauffeurs de taxi. Avec beaucoup de gentillesse, ils nous demandent quelques jours pour faire des recherches. On a de la chance puisque, deux jours plus tard, ils nous disent avoir trouvé un membre d'une famille Inthavong qui habite près de l'aéroport. Bhounma se souvient vaguement de ce quartier et nous décidons d'aller y jeter un coup d'œil.

La voiture nous amène vers une petite rue en terre battue. Il y a beaucoup de rues semblables dans ce pays. J'ouvre ici une parenthèse pour expliquer que le Laos est une des anciennes colonies françaises qui a le plus souffert de cette terrible guerre du Vietnam. Selon les statistiques, à cause de sa proximité avec le Vietnam, le Laos a été l'un des pays les plus bombardés de toute l'histoire de la guerre du Vietnam. Depuis 1975, le Laos est un état communiste dirigé par le parti révolutionnaire populaire Lao, d'obédience marxiste-léniniste, ce qui en a fait un des pays les plus pauvres de la planète.

Au moment où j'y suis allé, c'était un pays en ruine avec une infrastructure presque inexistante. En me promenant dans la campagne, j'ai pu constater qu'il y avait encore des cratères laissés par l'explosion des bombes partout dans le pays.

Nous descendons de voiture et nous suivons Bhounma. Elle semble reconnaître le quartier. Après quelques minutes, elle s'arrête devant une maison, comme on en voit plusieurs en Asie, bâtie sur pilotis. Au moment où elle s'apprête à monter avec une nervosité certaine les quelques marches menant à l'entrée de la maison, une femme ouvre la porte et, à la vue de Bhounma, tombe dans ce que je pourrais appeler un état d'hystérie totale. Des cris, des pleurs, et même des tremblements agitent cette femme jusqu'à ce que Bhounma s'approche d'elle et la prenne dans ses bras. Finalement, on comprend que cette femme en état de choc est la marraine de Bhounma. Elle était tellement certaine que sa nièce était morte depuis longtemps qu'elle croit voir arriver son fantôme dans sa maison. Au milieu des pleurs et des rires, on nous invite à entrer et, là, nous assistons à un échange rapide en Lao où j'essaie de saisir quelques mots. Je finis par comprendre que Bhounma demande à sa tante si son père vit encore. À sa grande surprise, Bhounma l'entend dire que oui, son père est encore vivant, mais il est très malade et il vit à la campagne.

Des retrouvailles émouvantes

Des membres de la famille vont aller chercher le père de Bhounma et nous donnent rendez-vous dans deux jours au même endroit. Quand nous revenons deux jours plus tard, tout le quartier est en alerte, la petite rue est pleine de monde, des voisins qui ont connu Bhounma quand elle était petite, des cousins et cousines qui ne peuvent croire qu'elle est encore vivante. Tout ce beau monde s'est rassemblé avec nous dans la ruelle et on attend le papa. Munie de ma caméra, je me distance du groupe, je suis trop nerveux. Après tout, je suis l'instigateur de cette scène incroyable qui se déroule sous mes yeux, une merveilleuse aventure digne d'un roman d'Arlette Cousture.

Un homme âgé, très âgé, arrive au bout de la rue, je suis le premier à l'apercevoir. Il n'y a pas de doute, c'est bien lui, sa fille lui ressemble tellement ! Les larmes aux yeux, j'observe la scène. Elle ne le voit pas encore, elle lui tourne le dos et parle avec des voisins. Supporté par sa canne, il s'approche doucement ; soudain, elle se retourne, l'aperçoit et se jette dans ses bras en pleurant. Il la croyait morte, elle le croyait mort. Vingt-cinq ans plus tard, le père et la fille sont réunis. Je prends des photos, des larmes m'inondent le visage, mais je continue. Quels moments émouvants !

Pendant plusieurs jours après ces retrouvailles, nous sommes invités dans la famille Inthavong. Bhounma me présente à sa famille comme un héros et les réceptions se succèdent jusqu'à notre départ. Voilà un bel exemple de ce que je conclus souvent : « Mes plus beaux souvenirs de voyage, ce n'est pas ce que j'ai vu, mais bien ce que j'ai vécu. »

J'ai gardé le contact avec Bhounma et nous nous voyons, à l'occasion, à la salle de danse. À chacune de ces occasions, Bhounma m'appelle *Ti rack Jacko*, ce qui veut dire mon grand ami Jacques, et elle ne manque jamais de me remercier de lui avoir permis de revoir son père une dernière fois avant qu'il ne meure. Cette belle histoire, pour une fois, je l'ai racontée à ma mère, je lui ai même présenté mon amie Bhounma.

Chapitre 16

Novembre 2000, cinquante-deux ans

Un sauvetage aux Philippines

J'adore le trekking surtout en altitude. Dans la tête d'un enfant du Faubourg à m'lasse, traverser un jour des villages de montagne avec un guide, côtoyer des bergers avec leur troupeau de chèvres ou de moutons, ce n'est que dans les films qu'on voit ça. Dans tous les pays que je visite, je ne rate jamais une occasion d'aller marcher en montagne, seul ou avec un guide.

En ce mois de novembre de l'an 2000, je suis dans un petit village des Philippines nommé Banauene. Juché dans les montagnes, ce village est renommé pour ses rizières en terrasses à telle enseigne que l'UNESCO en a fait un site protégé. Le trajet à partir de la capitale Manille jusqu'à Banauene ne fut pas de tout repos. Dix-huit heures d'autobus, souvent dans une chaleur écrasante. À un des arrêts d'autobus, les gens ont tout simplement refusé de remonter dans le véhicule parce que la climatisation – on avait payé le billet incluant cette dernière – ne fonctionnait pas. L'autobus fut bloqué à cet endroit pendant plus d'une heure, jusqu'à ce que la compagnie nous offre le remboursement d'une partie du billet pour compenser les inconvénients du manque de climatisation. Finalement, nous reprenons la route, mais cette fois-ci l'air est plus frais puisque nous sommes en montagne.

Par contre, un autre problème survient : les éboulements. Puisqu'il avait plu pendant près d'une semaine avant mon arrivée, nous faisons face au danger d'éboulements, un risque fréquent sur une route de montagne. À plusieurs reprises et en pleine nuit, des hommes doivent descendre de l'autobus pour enlever les grosses pierres qui bloquent le passage du lourd véhicule. Vers 4 h du matin, alors qu'il ne reste qu'une dizaine de personnes à bord, nous nous retrouvons devant un véritable mur, en fait, c'est ce que les phares de l'autobus nous permettent de voir.

Il fait une nuit d'encre, la pluie tombe encore légèrement et comme nous ne pouvons aller plus loin, le chauffeur décide d'aller dormir sur le siège arrière de son véhicule. La passagère du siège voisin et moi sommes les seuls étrangers dans ce véhicule. Nous assistons, incrédules à une scène inhabituelle : les passagers s'installent le plus confortablement qu'ils le peuvent sur les sièges et s'endorment. N'ayant pas d'autres choix, c'est ce que nous décidons de faire nous aussi jusqu'au petit matin. Après dix-huit heures de route, le sommeil vient rapidement !

Au lever du jour, je suis réveillé par le bruit des motos. Encore endormi, je sors de l'autobus et je vois un énorme tas de terre, de boue et de roches qui bloque complètement le chemin. Les hommes du village voisin trouvent le moyen de se frayer un chemin en passant par-dessus cette butte de terre et ils viennent chercher, un par un, les passagers de l'autobus pour les transporter au cœur du petit village. C'est ahurissant, on se croirait dans le film *Les aventuriers de l'arche perdue*. D'ailleurs, mes enfants me taquinent souvent en m'appelant *Indiana Jack*.

Le soir venu, je discute avec mon guide de montagne afin de planifier le trek du lendemain. Il est prévu que nous partirons selon mon habitude très tôt à l'aube. Aussitôt qu'il quitte l'auberge où je loge, deux jeunes filles s'approchent de moi et me questionnent sur mon expédition prochaine. Une est hollandaise et l'autre est allemande. Je leur donne des informations sur le trekking et je leur conseille de ne jamais partir sans guide ; la marche en montagne peut être un sport dangereux…

Au cours de la conversation, les deux jeunes filles me demandent de se joindre à mon guide et moi. Comme de toute manière je paye le guide, je les invite à nous suivre à condition qu'elles ne retardent pas la marche. Elles sont jeunes et sûrement plus en forme physique que moi. M'enfin, c'est ce que je croyais…

J'ouvre une parenthèse ici pour expliquer trois principes de base du parfait globe-trotter. Le premier : voyager léger, le deuxième, voyager léger, et le troisième, voyager très léger. Je rencontre tellement de voyageurs dans les aéroports, les hôtels et auberges et, simplement en regardant leurs bagages, je peux tout de suite établir quel genre de voyageurs ils sont. L'expérience du voyageur est inversement proportionnelle au volume de ses bagages. Plus les bagages sont minces plus le voyageur est expérimenté. Ce n'est pas un sondage scientifique, c'est une réflexion personnelle certainement assez proche de la vérité.

Ce n'est pas croyable jusqu'à quel point les gens souffrent d'insécurité. Savez-vous que du savon, du shampoing, du dentifrice, vous pouvez en trouver partout à travers le monde ? Vous pouvez laver très facilement vos bas, sous-vêtements et t-shirts. Pourquoi transporter pendant des jours, voire des semaines, vingt kilos d'articles non essentiels quand vous pouvez mettre tout ce qu'il vous faut dans un sac de sept kilos ? Personnellement, que je parte pour une semaine ou pour une année, je voyage avec seulement deux petits sacs à dos et ils doivent me suivre dans la cabine de l'avion.

Deuxième principe du parfait globe-trotter, je viens d'y faire allusion : ne jamais mettre vos bagages dans la soute de l'avion. C'est d'autant plus important si vous devez faire escale. Savez-vous que statistiquement il y a trente pour cent de chances que vos bagages se perdent ou arrivent en retard à destination si vous prenez un vol avec escale et que ce pourcentage augmente avec le nombre d'escales ? Et pourquoi j'utilise deux sacs à dos ? Le plus petit, c'est pour rayonner. Rendu à destination, vous laissez à l'auberge le gros sac (qui a déjà rapetissé) et vous allez visiter la ville emportant le plus petit. Je vous donne un autre petit conseil pour rayonner. Portez toujours votre petit sac, même si vous n'allez qu'acheter une bouteille d'eau au coin de la rue. De cette façon, vous n'allez jamais l'oublier, car vous vous sentirez nu sans lui (ça peut aussi être un sac en bandoulière selon votre préférence).

Autre conseil important: lorsque vous sortez, apportez toujours la carte commerciale de votre auberge ou hôtel. Si jamais vous vous égarez dans la ville, vous n'aurez tout simplement qu'à montrer cette carte au chauffeur de taxi qui vous ramènera à bon port. Vérifiez, bien sûr, que le chauffeur de taxi sait effectivement lire, car dans de nombreux pays, tel n'est pas le cas.

Maintenant revenons à notre point de départ, le début d'une merveilleuse aventure de cinq jours de trekking dans les montagnes des Philippines. Le jour se lève à peine, je suis le premier (je suis toujours le premier, j'ai absolument horreur des retards) arrivé à notre point de rendez-vous, à la porte de l'auberge. Les filles arrivent tout de suite après moi. Vous me pardonnerez d'avoir oublié leurs noms, alors je vais les appeler l'Allemande et la Hollandaise; cette dernière est une jeune femme de vingt-cinq ans, plutôt jolie, mince, avec un corps que je qualifierais d'athlétique. Je remarque les bagages, c'est, comme je le disais, ma déformation de globe-trotter. Son sac à dos, même s'il est plus volumineux que le mien, est tout à fait acceptable pour cette expédition. Elle est enjouée et a le rire facile. L'Allemande est presque son contraire, plutôt costaude et plus réservée. Elle ne semble pas bien dans sa peau. En fait, elle m'apparaît préoccupée par je ne sais quoi. Mais je ne suis pas psychologue.

En voyant ses bagages, tout de suite je note que son sac à dos est beaucoup trop lourd pour un trek de cinq jours. Je lui en fais la remarque, mais, bon, c'est son problème. Son problème, mais un qui deviendra rapidement le mien: elle ne peut suivre à notre rythme. Dans le but de l'aider, et aussi afin de ne pas ralentir notre marche, je demande à mon guide s'il veut bien porter le gros sac à dos de la demoiselle; il accepte sans aucun problème. Finalement, je dois me rendre à l'évidence que l'Allemande a une cadence plus lente que le groupe, alors je laisse le guide et la Hollandaise prendre les devants tandis que moi, pour sa sécurité, je me charge de constamment l'attendre.

À un moment donné, jetant un coup d'œil derrière moi, je ne la vois plus dans le sentier. Je décide de faire demi-tour et d'aller à sa rencontre. Je ne la vois toujours pas, mais j'entends des cris à l'aide : « Help ! Help ! Help ! » Je cours en direction des hurlements, mais où est-elle ? Finalement, ses appels m'amènent au bord d'un ravin où j'aperçois notre randonneuse s'accrochant par les mains à des branches d'arbres, les pieds complètement suspendus dans le vide. À mon tour de crier à l'aide, mais mon guide et l'autre randonneuse sont beaucoup trop loin pour entendre nos appels de détresse (je dois préciser que ce n'est pas tellement professionnel de la part d'un guide de s'éloigner autant du groupe qu'il a pris en charge).

Je dois agir de mon propre chef et rapidement. J'ai presque toujours des cordes dans mon sac et heureusement en ce jour, elles sont là. Je lui attache un poignet avec la corde, lui laissant l'autre main pour s'agripper aux arbres et je tire de toutes mes forces. Ce n'est pas croyable ce qu'on peut déployer comme force, sous un stress extrême, pour sauver la vie d'un être humain. Encore aujourd'hui quand je repense à cet événement, je ne comprends toujours pas comment j'ai réussi à tirer cette fille plus lourde que moi de sa fâcheuse position et la ramener dans le sentier. Ai-je besoin de vous dire que son trek s'est terminé tout juste à cet endroit ? Le guide et la Hollandaise sont finalement revenus sur les lieux. Nous avons confié notre rescapée qui était sous un sévère choc nerveux à des randonneurs retournant au village. C'était la quatrième fois au cours de ma vie que je sauvais la vie d'un être humain. Le destin ?

Malgré cet incident qui aurait pu être tragique, accompagné du guide et de l'autre fille, j'ai continué ma randonnée à travers des paysages extraordinaires de rizières en terrasses et de petits villages blottis aux creux des montagnes de ce magnifique pays, les Philippines. Ce soir-là, dans le refuge où s'entassent tous les randonneurs, les propriétaires nous servent un excellent repas sur une immense galerie avec vue imprenable sur les villages voisins. Il y a des Allemands, des Australiens, des Français, des Japonais et un seul Québécois accompagné d'une Hollandaise. Devinez quel est le sujet de conversation? Certains randonneurs racontent avoir croisé une jeune Allemande qui semblait sous un choc après être tombée dans un ravin. Elle avait repris le chemin du village pour se remettre de ses émotions. Je n'ai jamais eu d'autres nouvelles de cette jeune fille, mais je suis persuadé qu'elle n'est pas retournée en montagne, du moins pas aux Philippines!

Chapitre 17

Août 2001, cinquante-trois ans

L'Italie, comme c'est beau

Après avoir traversé la principauté de Monaco, j'entre dans un superbe pays: l'Italie. En 2001, c'est mon premier voyage dans ce pays. J'ai quitté la France en train: c'est reposant, on peut y lire, manger, dormir et, finalement, admirer les paysages. J'aime tellement le rail que j'ai décidé un jour de prendre le Transsibérien pour traverser toute la Russie et la Sibérie. J'y reviendrai dans un autre chapitre. Un des avantages de voyager de cette façon, c'est que, contrairement à l'avion, l'embarquement est très simple et rapide.

De plus, comme les gares sont situées dans les centres-villes, alors vous débarquez du train presque directement à votre hôtel. Lors de ce premier voyage, j'ai visité toutes les villes d'Italie de cette façon ou en autocar. La priorité quand vous arrivez dans une ville nouvelle? Trouver une petite auberge ou un hôtel pas cher. En Italie, le pas cher n'existe pas, mais quand même, avec de la chance et beaucoup de patience, on arrive toujours à le trouver ce pas cher dans toutes les villes du monde, même à Rome.

Le centre de Rome renferme une des cités historiques les mieux conservées du monde. Il est divisé en vingt-deux *rioni* et comprend environ trois cents hôtels, plus de deux mille palais, trois cents églises, deux cents fontaines monumentales, plusieurs sites archéologiques, huit parcs, les principaux monuments de la ville, les institutions gouvernementales et des milliers de magasins, bureaux, bars et restaurants.

Habituellement quand je sors de la gare de n'importe quelle ville, il y a des gens qui me proposent des services, soit de taxis, d'hébergement et parfois, des prostituées. Rome ne fait pas exception à la règle (pas pour les prostitués, mais pour l'offre des hôtels). Sitôt sorti de la gare, un homme s'approche de moi et, avec une brochure remplie de belles photos, veut me louer sa chambre d'hôtel. Ma première question : le prix ? Deuxième question : où l'hôtel est-il situé ? Dans ce cas-ci, pour ce qui est du prix, ça me va. Concernant la localisation de son auberge, le propriétaire m'explique que c'est un peu loin du centre-ville, mais que le trajet est très simple et très rapide par les transports en commun.

Il me propose de m'amener en voiture visiter son emplacement. J'accepte à la condition que si celui-ci ne me convient pas, il me promette de me raccompagner ici même à la gare. L'entente est conclue et je monte en voiture avec ce sympathique Italien. Nous roulons sur une distance d'une douzaine de kilomètres, jusqu'à un quartier résidentiel presque neuf. En fait, son *auberge* est neuve et pas connue. Tout de suite, ça me plaît. Chambre individuelle avec toilette (privée) et cuisinette, le tout à un prix dérisoire pour une ville aussi coûteuse que Rome. Avant de réserver et de payer, je lui demande de m'expliquer comment me rendre en ville et en combien de temps. Il me répond : « Prenez un bout de papier et écrivez. » Après m'avoir mentionné le nom du quartier où je suis présentement, patiemment, il m'explique de descendre au bout de la rue et là, l'autobus numéro quinze m'amènera au terminus. À partir de là, je dois prendre la ligne verte jusqu'à telle station et, ensuite, je change pour prendre la ligne rouge et, finalement, la ligne bleue jusqu'à la Piazza del Popolo, enfin… je crois que c'est ça… Tout bien écrit comme ça, sur un bout de papier, c'est très simple. On dit que tous les chemins mènent à Rome. Mais est-ce qu'ils nous ramènent tous à la maison ? Ça, c'est moins sûr.

Bousculé dans le métro

En me quittant, l'aimable personnage me donne quelques consignes comme ne pas laisser mon passeport et mon argent dans ma chambre, de partir tôt le matin pour être bien certain de pouvoir entrer à chapelle Sixtine, et il me donne un plan de la ville de Rome. Comme d'habitude, le lendemain, très tôt, je quitte mon appartement et là, contrairement à mon habitude, je place un étui en cuir à ma ceinture et j'y dépose le bout de papier avec les indications pour revenir à la maison, la carte de la ville ainsi qu'un stylo. Par contre, comme toujours, tout mon argent et mon passeport sont placés dans une autre ceinture que je cache sous mes vêtements. Il n'y a pas tellement de monde dans le métro à cette heure aussi matinale et je suis un peu étonné, en pénétrant dans le wagon, de me faire bousculer par de jeunes Italiens. Sur le moment, je n'y prête pas attention.

En suivant les indications, j'arrive très rapidement à la place Saint-Pierre et comme je suis trop à l'avance, je décide d'aller prendre un capucino et d'écrire quelques cartes postales. Je me rappelle m'être assis à l'extérieur, sur la terrasse du restaurant. C'est un matin ensoleillé, il fait beau et je crois rêver. Dans quelques minutes, je serai au Vatican. Un autre rêve d'enfant qui se réalisait, voir Saint-Pierre de Rome, et je décide d'écrire à mes enfants. Je relaxe, bois mon café, place mes cartes postales sur la table. Ensuite, je veux prendre mon stylo dans mon étui à ma ceinture. J'ouvre la fermeture éclair… Horreur, il ne contient plus rien… plus rien, ni stylo ni bout de papier ni carte de la ville. Il est vide! Perdre un stylo ce n'est rien, mais perdre le bout de papier avec les instructions de retour à mon hôtel… Ouf! Comment retourner à une auberge quand tu ne connais même pas le nom de sa rue, son adresse, et même le nom du quartier où tu habites?

Bon, que vais-je faire? Par où commencer? Je comprends maintenant que la petite bousculade dans le métro de Rome n'était qu'une mise en scène pour me voler. Bien entendu, les voleurs croyaient qu'il y avait de l'argent dans l'étui en cuir. En y réfléchissant, je me trouve bien naïf d'avoir attiré les voleurs de cette manière. Mais bon, qui ne fait pas d'erreurs? Et celle-ci semble réparable. Est-ce que je vais visiter tout de même le Vatican maintenant? Oui, pourquoi pas, j'y suis, j'y vais. Le retour à mon hôtel… ça, ce sera un maudit problème. Je vais à la basilique Saint-Pierre en espérant un miracle.

Je visite le Vatican (la chapelle Sixtine, la basilique Saint-Pierre et même le tombeau du fondateur de l'Église catholique), mais pas de miracle ! J'aurais peut-être été mieux servi à l'oratoire Saint-Joseph, mais je suis à Rome et non à Montréal. Vers 16 h, je décide de rentrer chez moi. Par où commencer ? Avec près de quatre millions d'habitants, Rome est la ville la plus peuplée et la plus vaste d'Italie. De quoi vous donner le vertige. Il ne faut surtout pas paniquer. Je commence d'abord par la ligne de métro, je crois me rappeler que la dernière était la rouge ; non, la bleue ? O.K., je prends la bleue, mais dans quelle direction ? Je roule et roule, mais ne reconnais plus aucune station ; je change de direction. J'arrive à la ligne rouge, je décide de remonter pour voir à l'extérieur quelque indice. Rien.

Le jour commence à tomber, je redescends dans le métro, je reprends la ligne rouge, je roule, je reconnais maintenant les noms de quelques stations et j'arrive finalement à la ligne verte. Je sors du métro, c'est le soir ; ça ne m'aide pas pour retrouver mon chemin. Je me rappelle un terminus, mais je n'en sais pas le nom. Je monte dans un bus au hasard. Fidèle à mon habitude, je me dirige à l'arrière, mais, là, je tombe sur une bande de voyous. Des latinos qui ont littéralement squatté l'arrière de véhicule. Je comprends que je ne suis pas invité à leur petite fête. Je reste calme, mais je descends à la première occasion. Ils ne me suivent pas. Ouf ! Il fait nuit, pas de téléphone, pas de carte d'hôtel, pas le nom de ma rue ou de mon quartier. Je décide de me fier à mon radar personnel : il ne m'a pas encore trompé. Je ne prends plus de transport en commun, il fait nuit et, après l'expérience que je viens de vivre, je crois que c'est dangereux. Je me fie à mon instinct et j'irai à pied.

Il est minuit et je marche ; il est 2 h du matin et je marche toujours. Finalement, à 3 h du matin, je crois reconnaître mon quartier et trente minutes plus tard, Dieu merci, je rentre, dans mon appartement complètement épuisé, mais tellement heureux de retrouver mon lit. Je peux vous assurer qu'à partir de cette expérience, je n'ai plus jamais porté d'étui à ma ceinture. Mon passeport ainsi que mon argent sont bien à l'abri dans une ceinture sous mes vêtements. Comme je l'ai écrit précédemment, je ne quitte jamais ma chambre d'hôtel sans avoir avec moi la carte commerciale de l'établissement. Bien entendu, je n'ai pas raconté à ma mère cette dernière aventure

Chapitre 18

Septembre 2001, cinquante-trois ans

Entre l'Occident et l'Orient

Après avoir traversé toute la Grèce du sud au nord, je me dirige vers la frontière. Le chauffeur me fait descendre de l'autobus au poste frontalier, mais du mauvais côté, ce qui fait que je pénètre sac au dos dans le poste des douanes grecques par l'entrée des employés. Surpris de me voir arriver, l'officier de service sursaute, crie, gesticule et la main sur son arme m'ordonne de sortir sans autres explications. Il fait nuit, je n'ai aucune idée par quelle porte je devrais passer pour être du bon côté. Comme tous les douaniers du monde, celui-ci n'est ni aimable ni compréhensif. Ces gens ont un énorme pouvoir et, généralement, ils en abusent. Je dois me débrouiller pour trouver la porte d'entrée officielle. Par bonheur, il n'y a pas beaucoup de monde à cette heure avancée de la nuit. J'entre dans le poste de contrôle et me retrouve finalement devant... le même énergumène à la mèche courte. Quand je lui montre mon passeport canadien, il devient soudainement plus calme et gentil.

Les formulaires usuels remplis, je lui demande comment je peux traverser la frontière pour entrer en Turquie. Il faut savoir qu'entre ces deux pays, la Grèce et la Turquie, c'est la guerre pour le contrôle des îles. Les Grecs détestent les Turcs et vice versa. Entre le poste frontalier de la Grèce et celui de la Turquie, il y a un no man's land que je tente de traverser à pied, mais de dangereux chiens de garde me font vite décider de ne pas y aller de cette façon. Après plusieurs appels téléphoniques, il s'avère impossible de trouver une voiture taxi pour m'amener à la frontière turque. Alors je me retrouve dehors, en pleine nuit, assis sur mon sac à dos à regarder les lourds camions à remorque qui se présentent aux douanes grecques et repartent en direction de la Turquie après le contrôle.

La procédure est toujours la même : le chauffeur stationne son camion à l'endroit indiqué, descend du véhicule et entre dans le poste de contrôle ; il en ressort avec le douanier qui doit vérifier la marchandise dans la remorque. Vérification faite, le douanier retourne dans son poste pendant que le chauffeur remonte dans son camion et roule tranquillement à travers le no man's land pour finalement arriver au poste frontalier de la Turquie.

Après un moment, je tente le tout pour le tout. Pendant que le chauffeur et le douanier sont occupés à vérifier la remorque, je monte me cacher dans la cabine du conducteur. Lorsque le chauffeur ouvre la porte pour s'asseoir dans son camion, il a la surprise de voir un homme assis à la place du passager. Comme il ne comprend ni l'anglais ni le français, par des signes je le supplie de me faire passer la frontière. Après une brève hésitation, il me sourit et démarre pour une petite balade d'un kilomètre et demi avant d'arriver à la frontière turque.

Une fois arrivé au poste frontalier de la Turquie, le conducteur me fait signe de descendre. Je comprends que je ne peux aller plus loin dans son camion. Je le remercie chaleureusement et j'entre finalement aux douanes avec mon sac à dos. Les douaniers sont beaucoup plus aimables que les précédents. Après les procédures habituelles, je trouve un taxi afin de me conduire dans le premier village qu'il va croiser sur sa route. Il est près de minuit et après ma mésaventure, je suis exténué. Après quarante-cinq minutes de route dans une vieille Toyota qui a plus de souvenirs que d'avenir, alors que chaque trou dans la chaussée me fait comprendre que la suspension a rendu l'âme depuis longtemps, je suis bien heureux de sortir de cette caisse qui a bien failli m'asphyxier tellement elle puait l'essence. Le chauffeur me laisse devant le seul hôtel de ce village de la taille de Sutton en Estrie. Le lobby de l'hôtel est encombré de visiteurs et il y règne une ambiance de fête. Je commence à comprendre que j'arrive au moment de la célébration la plus populaire de l'année (l'équivalent de notre fête de la Saint-Jean au Québec) et que, bien entendu, il n'y a plus une seule chambre de libre.

Je me fraye un chemin jusqu'au comptoir, alors que les gens semblent se demander ce qu'un Canadien peut bien faire dans ce bled perdu. En demandant une chambre pour la nuit, j'avais l'impression d'essayer d'entrer dans un ascenseur déjà trop chargé. Je suis tellement fatigué que je suggère à la réceptionniste que je pourrais dormir, roulé en boule, derrière son comptoir. Elle comprend vite que je suis sérieux et qu'elle devrait m'accommoder. Elle demande à un garçon de m'accompagner à l'étage, on monte et on monte les escaliers, jusqu'au grenier de l'hôtel. En fait, c'est l'endroit où le personnel entrepose les meubles et les matelas de l'hôtel. Le jeune homme jette un matelas par terre et je comprends que c'est là que je vais passer la nuit. La pièce est grande, très grande, avec des fenêtres sans rideaux. Par la fenêtre, je vois que les organisateurs ont monté un chapiteau, installé de l'éclairage et une chaîne stéréo pour accueillir un band. Une fois les musiciens installés sur la tribune, ma chambre se retrouve éclairée par un feu d'artifice de toutes les couleurs. Malgré tout ce charivari, je me suis endormi comme un bébé.

Septembre 2001, Turquie, cinquante-trois ans

Dans tout ce voyage de quatre mois, la Turquie ne devait être qu'un passage obligé sur ma route en direction de l'Afghanistan, du Pakistan et de l'Inde où je devais rencontrer une amie venant me rejoindre à Delhi. Mais un événement majeur devait changer le cours de mon voyage: le fatidique 9 septembre 2001. Où étiez-vous ce jour-là? Eh bien, moi, j'étais en Turquie et je me dirigeais vers l'Iran!

La Turquie, c'est le berceau de l'Empire ottoman qui devait durer de 1299 à 1923. Quand Mahmet II s'empara en 1453 de Constantinople, aujourd'hui Istanbul, ce fut la fin de l'Empire byzantin et le début de ce que j'appelle le monde musulman. À l'apogée de sa puissance, l'islam va s'étendre sur trois continents. Les armées ottomanes parvinrent même jusqu'à Vienne en 1529, où elles seront arrêtées définitivement.

En 1922, Mustafa Kemal, le premier président de la République turque, fait expulser de ce pays le dernier sultan ottoman. Voulant faire entrer son pays dans l'ère moderne, il interdit le port du fez que le sultan avait érigé en code vestimentaire pour les hommes. Il va même jusqu'à interdire le port du hijab aux femmes fonctionnaires et aux étudiantes à l'université. Cherchant à limiter l'influence de l'islam, il décide de supprimer le califat, responsable, selon lui, du ralentissement du développement du pays. Il adopte le principe de la laïcité, limitant la religion à la sphère strictement privée. Paradoxalement, il y a aujourd'hui dans ce pays plus de femmes qui portent le hijab qu'en 1930 ! Parenthèse : les Turcs ne sont pas des Arabes. Si vous voulez insulter un habitant de ce pays, dites-lui qu'il est arabe !

J'arrive au centre-ville d'Istanbul par autobus. Je suis attendu à la gare par une jeune femme turque qui me conduira à mon auberge située tout près de la Mosquée bleue. Comme je l'ai mentionné souvent, le but premier de mes voyages est de rencontrer les habitants du pays afin de mieux connaître leur mode de vie, leur culture et leur religion. Pour faciliter ma rencontre avec les gens, j'utilise un site Web qui s'appelle PenPal International. Par son entremise, je peux entrer en contact avec des gens du pays que je me propose de visiter prochainement. Habituellement, les réponses arrivent assez rapidement et en grand nombre. Après échanges de courriels, je fais le choix de la personne qui me semble la plus intéressante à rencontrer. Dans certains pays, comme le Japon, le contact est plus difficile. Peut-être à cause de la barrière de la langue, je ne le saurais dire, mais je n'y ai pas obtenu une seule réponse à mes annonces sur P.P.I. Quand je suis allé au Japon, j'ai habité dans une famille grâce à un contact de mon ami Paul Unterberg.

Donc, après m'être installé à ma petite auberge, à un prix très raisonnable d'environ douze dollars par jour, accompagné de la jeune fille, je pars visiter la ville. Je suis immédiatement tombé en amour avec Istanbul.

Istanbul est la plus grande ville de la Turquie. Elle profite d'une situation géographique privilégiée puisqu'elle est située de part et d'autre du détroit du Bosphore (qui relie la mer Noire à la mer de Marmara), donc à cheval sur deux continents. Cette ville magnifique attire près de dix millions de visiteurs par année. Elle est une des destinations touristiques les plus prisées dans le monde.

Après avoir visité Athènes et Rome, j'oserais dire qu'au point de vue historique, Istanbul est aujourd'hui l'une des trois capitales antiques les plus importantes au monde. La Mosquée bleue avec ses six minarets est certes l'une des plus impressionnantes du monde musulman. Mais selon moi, c'est plutôt la Mosquée rose, située juste en face, aussi appelée Ayasofya, qui est la plus intéressante. Il ne faut pas oublier qu'elle fut jadis une des plus belles basiliques du monde chrétien. Elle fut construite à la demande de l'empereur Justinien 1er en 537 et transformée en mosquée à la suite de la prise de Constantinople. Sur l'ordre d'Atatürk, elle est maintenant un musée très visité et les files d'attente sont longues. « Soyez patients, la visite en vaut le coup ! »

Après quelques jours à Istanbul, il est temps de continuer ma route jusqu'en Iran. Pour ce faire, je dois traverser l'incomparable vallée de la Cappadoce et ensuite toute l'Anatolie pour arriver dans le Kurdistan turc. La veille de mon départ, je vais prendre un dernier souper sur une terrasse dans le quartier le plus touristique d'Istanbul. Par le plus grand des hasards, je rencontre Karl, un Québécois dont j'avais fait la connaissance quelques années auparavant alors que j'habitais la Floride. Il me présente des amis turcs et canadiens et, finalement, je décide de retarder mon départ par autocar qui est prévu pour le lendemain matin. Nous partons visiter un authentique bain turc et je rentre à mon auberge au petit matin.

Deux jours plus tard, avec mon sac à dos, mon passeport et mes visas en règle pour entrer dans la République islamique d'Iran, je traverse le Bosphore à pied, en empruntant le magnifique pont de Galata, et je me dirige vers le terminus d'autobus. À l'intersection, la rue est bloquée par des camions de l'armée. Je vois plus loin une voiture complètement calcinée et ce qui reste du terminus d'autobus. Les policiers m'expliquent qu'il y a eu la veille un attentat à la voiture piégée dirigé contre le terminus et probablement revendiqué par un groupe terroriste kurde, le PKK.

Bon… Merci, Karl, d'avoir retardé mon départ. Où est le terminus maintenant ? Juste de l'autre côté de la rue, « Venez, je vous y conduis ! » me dit l'aimable policier. Finalement, bien assis confortablement dans le car en direction de la Cappadoce, je ne peux effacer les images d'une voiture toute tordue au milieu de la rue et des fenêtres qui ont volé en éclats. Ouf, je ne l'ai pas raconté à ma mère…

Mon premier arrêt est Göreme, une ville située au cœur de la vallée de la Cappadoce. Une voiture taxi me conduit à une petite auberge qui m'a été recommandée par Karl et qui est tenue par un couple de Français très sympathiques. Je m'installe dans une chambre dont les murs sont taillés dans le roc, comme la majorité des maisons de la vallée de la Cappadoce.

Cette vallée est connue pour ses paysages pittoresques sculptés par l'érosion à la suite des éruptions volcaniques. La lave a figé sous forme d'une pierre relativement facile à caver, et la population tira parti de cette caractéristique pour y loger des églises, des habitations et des monastères.

À proximité de la petite ville se trouve le musée en plein air de Göreme. Situé au cœur des vallées de la Cappadoce, il révèle l'héritage d'une intense activité monastique. J'ai eu l'occasion de descendre sous terre afin d'admirer les fresques délicates peintes sur les murs et les plafonds des églises. J'ai visité de véritables villes souterraines, vestiges d'un habitat humain traditionnel fréquenté depuis le IVe siècle.

C'est avec la tête pleine de souvenirs de cette vallée unique au monde que je reprends mon sac à dos et me voilà reparti vers le mont Ararat dans le Kurdistan. Je ne savais pas au moment de ce départ que, quelques jours plus tard, le destin me ferait revenir ici dans la vallée de la Cappadoce pour quelques jours encore.

Chapitre 19

Le Moyen-Orient, septembre 2009, cinquante-trois ans

« *America under attack* »

Je dois faire quelque quinze heures d'autobus avant d'arriver à une ville frontalière de l'Iran. Je traverse des paysages jamais vus jusqu'à maintenant : des maisons en terre cuite érigées dans un paysage désertique. J'ai peine à croire que des gens vivent dans un environnement qui me semble si précaire ! Les troupeaux de moutons ou de chèvres n'ont rien à brouter. L'autobus fait quelques arrêts obligatoires et, chaque fois, un nouveau passager vient s'asseoir à côté de moi. Par un ironique hasard, le très sympathique jeune homme avec lequel j'entreprends la conversation me dit tout bonnement qu'il est kurde. Les images de l'attentat à la voiture piégée me reviennent à l'esprit. Ses compatriotes ont failli me tuer et voilà que, mine de rien, ce jeune homme veut être mon ami et il insiste pour se faire photographier avec moi. Comme il parle assez bien l'anglais, je profite de la situation pour le questionner sur les problèmes que vit son peuple sur le territoire du Kurdistan turc.

J'arrive au pied du mont Ararat où, selon la Bible, l'arche de Noé se serait échouée. Dans la ville frontalière, je trouve facilement une auberge confortable où je m'installe pour deux jours avant de traverser la frontière. Je serai en Iran dans quelques jours et, comme ce fut le cas en Turquie, une dame m'attend afin de me faire visiter Téhéran. Après l'excellent souper à l'auberge, les propriétaires m'invitent à une petite fête où l'on joue la musique traditionnelle du pays. Les quelques touristes allemands et japonais qui sont sur place profitent de l'ambiance très conviviale, quand, tout à coup un des propriétaires s'approche de moi et me demande si je suis Américain. Je lui réponds que non, je suis Canadien. Sur ce, il m'invite à le suivre dans le salon.

Il ouvre le téléviseur où je vois, dans ce qui me semble être un mauvais film américain, un énorme avion s'enfoncer dans le World Trade Center de New York. Quand je lui dis que je ne souhaite pas regarder un film, il me répond: «*Today, America under attack.*» Ça me prend plusieurs secondes avant de réaliser que c'était un bulletin de nouvelles de CNN qui était présenté à l'écran. Quand les autres touristes m'ont rejoint, la musique a cessé et on aurait dit que le temps, lui aussi, s'était arrêté. La stupeur se lisait sur le visage des touristes allemands et japonais. Quant à moi, mon cerveau s'est mis à fonctionner à la vitesse grand V. «Où sont mes enfants? Sont-ils en sécurité en ce moment?» Le Québec, c'est loin de New York, mais nous sommes quand même des voisins.

Je pense soudainement à une grande amie qui travaille comme agente de bord pour la compagnie United Air Line et qui habite New York. «Mes enfants vont-ils s'inquiéter de moi qui suis en plein cœur des pays musulmans? Qu'arrivera-t-il de mon voyage en Iran et Afghanistan?» Je vais me coucher, mais le sommeil ne vient pas rapidement. Demain, je prendrai les décisions qui s'imposent…

Le lendemain, dès le matin, je vais sur Internet pour rassurer ma famille. Ensuite, toujours de la même façon, je communique avec mon ami et conseiller Paul Unterberg. Il est d'avis qu'il ne serait pas prudent d'aller en Iran; on ne sait pas, à ce moment-là, comment réagira le monde musulman et, aussi, quelle sera la réaction des États-Unis. Je communique donc avec mon contact en Iran pour lui dire que, étant donné la situation, je ne vais pas franchir la frontière. Elle est très déçue, mais elle me comprend. Puisque j'avais l'intention

L'armée de terre cuite de Xi'an

À Beijing, le vieux quartier Hutong

Aux frontières de la Bolivie et du Chili

La grande muraille

La prière dans un parc à Beijing

Scène de rue en Inde

Une autre scène de rue à Delhi

Les latrines publiques d'un quartier pauvre de Delhi

La spectaculaire baie de Halong

Pêcheurs sur le Mekong

Un timonier inhabituel sur le Mekong

En Mongolie, un yak !

Merzouga au Maroc : la porte du désert

En plein Sahara marocain

Les steppes de la Mongolie

Une fête nationale en Mongolie

de faire un trek sur le mont Ararat, je décide de rester une journée de plus dans le petit village. Ce même jour, alors que je marche en direction de mon hôtel, je suis suivi dans la rue par un homme qui ne semble pas sain d'esprit. À l'intersection d'une petite ruelle, il semble m'invectiver, je ne comprends absolument rien à ce qu'il me dit. Comme il devient de plus en plus agressif, je m'apprête à l'affronter quand à mon grand soulagement des hommes viennent le chercher.

De retour à l'auberge, je remarque immédiatement que presque tous les touristes ont pris la décision de rentrer dans leur pays. Je me souviens de deux jeunes Japonaises qui, tout comme moi, voulaient se rendre à Téhéran ; elles ont décidé de rentrer dans leur pays. En fait, les hôtels et les auberges se sont littéralement vidés.

Je décide de ne pas faire le trek sur la montagne et le lendemain matin, ne sachant pas trop où aller, je saute dans le premier bus en direction d'Istanbul. Comme j'ai environ quinze heures de route à faire, j'ai tout le temps de réfléchir à ma situation. Je n'ai vraiment pas le goût de rentrer au pays, je ne vais quand même pas gâcher mon voyage à cause de quelques fous de dieu qui ont suivi un cours rudimentaire de pilotage d'avion !

Je décide de retourner à la même petite auberge, tenue par des Français, dans la vallée de la Cappadoce. Ils sont très étonnés de me voir arriver puisque eux aussi ont vu les touristes déserter leur auberge. Ils me font un bon prix pour la chambre et je décide de rester quelques jours, le temps que les choses se tassent un peu. Comme de fait, plus tard je reçois un courriel de mon amie, Renée Martin, m'informant qu'étant donné les risques à voyager à travers le monde, elle ne viendra pas me rejoindre en Inde. Elle ne sera pas la seule au monde à annuler un projet de voyage, ce qui provoquera une crise sans précédent dans l'industrie du transport aérien. À la suite de ce courriel, je prends la décision de changer complètement mon itinéraire de voyage. Après les attentats du 2001-09-11, j'ai l'impression que la planète s'est séparée en deux mondes bien distincts, les pro-américains et les pro-islamistes. Ce n'était pas une bonne idée d'être en pays musulman en ce mois de septembre 2001, mais comme je ne fais jamais rien comme les autres, je décide de visiter… le Moyen-Orient.

En quittant la Turquie, je planifie d'aller d'abord en Syrie et en Jordanie. À partir d'Amman, j'irai à la frontière dans le but d'entrer en Israël, mais ce pays est en guerre contre le Hezbollah basé au Liban, pays voisin. Selon le douanier, ce n'est pas le temps d'entrer en Israël. Encore une fois, je me vois dans l'obligation de rebrousser chemin et de retourner à Amman avant de me rendre en Égypte. Facile à dire, oui. Facile à faire, pas sûr… Suivez-moi sur la route de l'aventure au Moyen-Orient!

La frontière syrienne, octobre 2001, cinquante-trois ans

Traverser la frontière canado-américaine est un jeu d'enfant pour un Canadien. Traverser n'importe quelle frontière au Moyen-Orient, c'est n'importe quoi sauf cela. Des files interminables de camions attendent en bordure de la route. Leurs chauffeurs attendent parfois couchés sous leurs camions, la permission d'avancer n'étant accordée que de quelques mètres seulement à la fois. La frontière est gardée par des soldats armés de mitraillettes et juchés sur des miradors. Les autobus, dont le mien, font la queue sur des kilomètres avant d'entrer dans ce pseudo-poste frontalier. Après huit heures passées dans un autocar sans climatisation, je me trouve enfin dans une file d'attente devant un guichet. Je me fais copain avec des Australiens qui me confirment que puisque le Canada est une ancienne colonie anglaise, tout comme l'Australie, les visiteurs canadiens n'ont pas besoin de visa pour entrer en Syrie. Voyant qu'on tamponne leurs passeports comme une lettre à la poste, c'est tout sourire que je me présente devant mon douanier avec mon passeport canadien. L'homme regarde mon document après avoir dûment vérifié si la photo correspond bien au personnage devant lui. Puis il me fait signe d'attendre. Quelques minutes plus tard, il revient et me fait signe de le suivre. Ai-je le choix?

Il me conduit dans un petit cabinet et me fait signe de m'asseoir devant le bureau d'un (petit) colonel qui, lui, s'exprime très bien en anglais. Tous ces douaniers sont des militaires. Après m'avoir expliqué qu'à partir de maintenant (!) les Canadiens ont obligatoirement besoin d'un visa pour entrer dans son pays (comme si le pays lui appartenait), mais moyennant une certaine compréhension de ma part (lire *moyennant quelques dollars américains, bien sûr*), il pourrait faire quelque chose pour moi. « Et ce quelque chose, c'est quoi ? » j'ose demander. Il va télégraphier à la capitale de son pays afin d'avoir la permission de me laisser entrer en Syrie. Et ce message va prendre combien de temps ? « Cela dépend entièrement de votre *collaboration*, monsieur le Canadien. »

Voyant que ma réponse se fait attendre (en fait, vous connaissez maintenant ma pratique de ne jamais donner de *bakchich* à qui que ce soit), il me fait signe de sortir de son bureau. Et quand je lui demande où je peux m'asseoir, il m'indique un banc de bois semblable à un banc d'église. Pendant que l'autobus repart avec tout son monde, moi, le Canadien, je m'installe. Je sors mon sac de couchage de mon sac à dos et je m'installe pour dormir sur le banc en question. Il faut dire que je suis épuisé et le sommeil viendra rapidement. Quelques heures plus tard, je me réveille. Réalisant qu'il n'y a ni cantine ni restaurant sur place, je fouille dans mon sac à dos afin de trouver un sac de noix et d'arachides qui me suit dans tous mes voyages. Une fois ma faim contentée, je me recouche sur mon grabat de fortune et je m'y rendors sur le champ.

À la tombée de la nuit, un jeune soldat vient me réveiller et me demande de le suivre sans mes bagages. Nous allons marcher dehors derrière le poste frontalier et là, dans un mauvais anglais, il m'explique poliment qu'il serait dans mon intérêt d'être compréhensif avec monsieur le colonel. Ce monsieur est une bonne personne (*nice guy*) et un bon musulman. Il a des enfants à nourrir et il aimerait bien qu'ils aillent à l'école. Pour ce faire, il devra acheter des souliers à ses nombreux petits. En posant ma main sur son épaule, je réponds tout aussi gentiment au jeune soldat que, moi aussi, je suis une bonne personne et que, moi aussi, j'ai des enfants qui vont à l'école. Et que moi aussi, je devrai acheter des souliers à mes rejetons à mon retour au pays. « S'il vous plaît, dites à votre monsieur Colonel que c'est contre mes principes de faire passer les enfants des autres avant mes propres enfants. » Sur ce, je lui demande la permission de retourner me coucher.

Plus tard dans la nuit, on me réveille encore. Il n'y a plus personne dans le poste, seulement moi et un douanier qui me fait signe d'approcher. Qu'est-ce qu'on me veut ? Surprise : on m'annonce qu'on vient de recevoir une communication de la capitale et que, soudainement, tout est en règle : je peux poursuivre ma route. Enfin, mon passeport est estampillé, je ramasse mes affaires, mais pour aller où ? Il n'y a aucun moyen de transport, ni taxi, ni autobus. Vers 4 h du matin arrive une camionnette genre véhicule de service pour électricien. Un homme en descend. Je remarque tout : il donne ses papiers assortis de billets de banque au douanier. La transaction se fait discrètement et rapidement.

Au moment où il va sortir, je tente ma chance et lui demande s'il peut me donner un *lift* jusqu'à la prochaine ville. Ça coûte 25 $ US, me dit-il. Je trouve la somme exorbitante, mais ai-je le choix ? Je le paye, il ouvre la porte arrière de son véhicule et, à ma stupéfaction, il s'y trouve à l'intérieur au moins une vingtaine d'hommes qui semblent aussi effrayés que moi de me voir entrer dans cet espace si restreint. Il fait noir, on est en pleine nuit, le camion part, mais est-ce que j'ai pris la bonne décision ?

Alep, Syrie, octobre 2001, cinquante-trois ans

Alep est une des plus vieilles villes du monde. La citadelle d'Alep, tout comme le Krak des Chevaliers, que je vais visiter quelques jours plus tard, a été construite à époque des croisades. Elle est entourée d'un fossé large et profond, qui nous rappelle les douves des châteaux du Moyen Âge.

Après avoir visité la vieille forteresse, je flâne dans l'immense souk de la ville. C'est le plus grand marché couvert du monde, avec une longueur totale approximative de treize kilomètres. C'est très impressionnant tout ce qu'on peut trouver dans ces marchés, notamment le fameux savon d'Alep fabriqué à partir d'huile d'olive et reconnu à travers le monde.

À peine quelques minutes après être entré dans le souk, je crois m'apercevoir qu'un jeune homme me suit. Chaque fois que je me retourne, il est plus ou moins loin de mon champ de vision. Je le surveille du coin de l'œil et fidèle à mon habitude, je vais à sa rencontre et lui demande poliment : « Pourquoi me suivez-vous ? »

Il y a quelqu'un, quelque part, qui vous surveille...

J'ouvre ici une parenthèse pour faire une mise en garde aux voyageurs solitaires, et même en couple. Les gens qui voyagent en groupe organisé sont, par le fait même, protégés d'une arnaque ou du harcèlement. Comme mentionné dans un autre chapitre, il y a plusieurs avantages à voyager seul par ses propres moyens, mais il y a aussi certaines précautions à prendre qui deviendront vite une seconde nature une fois adoptées. Il faut se mettre dans la tête que, partout où vous voyagez dans des pays étrangers (Asie, Amérique du Sud, Moyen-Orient), il y a quelqu'un, quelque part, qui vous surveille. Vous arrivez dans un aéroport, une gare, ou bien vous êtes tout simplement dans le hall de votre hôtel, il y a quelqu'un qui se trouve dans la foule et vous prête attention. Il veut savoir dans quel pays vous habitez, quelle langue vous parlez, si vous êtes seul ou accompagné. Ce personnage n'est généralement pas dangereux, il saura même se montrer très aimable avec vous. Souvent, il s'adressera à vous dans votre langue puisqu'il vous a entendu parler. Même si c'est faux, il vous dira quand même qu'il connaît votre pays puisque son beau-frère, sa tante ou son oncle habite la même ville que vous. Bref, il vous mettra en confiance surtout s'il parle ou baragouine votre langue.

Quand ça fait plusieurs semaines, voire plusieurs mois, que vous n'avez pas entendu votre langue, il est tellement agréable de pouvoir le faire, ne serait-ce qu'avec un parfait étranger. Il le sait, ça marche. Il voudra vous rendre service à tout prix. Il vous proposera de loger à l'hôtel de son cousin (le moins cher), de manger au restaurant de sa tante (le meilleur). Il connaît un guide de montagne, un chauffeur de taxi, un vendeur d'artisanat (faux objets uniques et fabriqués à l'étranger). Ne jamais oublier que votre nouvel ami a une commission sur tout ce que vous allez acheter de ses supposés parents. Souvent, très souvent même, il vous proposera des bijoux en or véritable à un prix tellement ridicule que vous pourriez faire une petite fortune (!) en les revendant au retour dans votre pays. Pourquoi refuser? Il est tellement gentil et, en plus, il parle votre langue. C'est un menteur professionnel. Si vous saviez toutes les histoires d'arnaques que j'ai vécues et que j'ai entendues de la part de touristes naïfs. M'enfin, la mise en garde est faite… Même pour moi.

Alors, revenons dans le souk d'Alep. L'homme à qui je m'adresse est très bien vêtu. Bien qu'il soit arabe, il parle assez bien l'anglais, il est plus jeune que moi, mince et d'allure agréable. Je dois dire que c'est un bel homme. Alors, sur un ton presque banal, comme si j'en avais l'habitude, je lui demande pourquoi il me suit. La réponse: il veut pratiquer son anglais et c'est seulement avec des touristes qu'il peut le faire. C'est vrai dans certains cas. Il m'est arrivé souvent, surtout en Chine, que de jeunes étudiants ou étudiantes m'abordent pour tenir une conversation afin de pratiquer leur anglais. Dans ce cas-ci, je pense que c'est faux, mais je décide de jouer le jeu.

Mon plus grand désir dans un pays étranger, comme vous devriez le savoir maintenant, c'est de connaître le mode de vie des gens qui y habitent, leurs religions, leurs vies familiales, leurs professions. Bref, tout ce que je peux apprendre et vivre dans un autre pays est une véritable richesse pour moi. Alors, chaque fois que je rencontre quelqu'un d'intéressant et avec qui je peux échanger quelque peu, je profite de l'occasion et voilà une belle occasion ici en Syrie.

Accompagné de mon *guide*, je me promène pendant plus d'une heure dans cet immense marché et je l'interroge sur à peu près tout ce qui se vend ici, mais mon intérêt se porte principalement sur les tapis. Ils sont tellement beaux, les tapis d'Orient! Mon guide m'a donné un véritable cours 101 sur ces magnifiques œuvres d'art. J'ai surtout appris que si vous n'avez pas une connaissance de base sur la fabrication des tapis, il y a de fortes chances que, comme la très grande majorité des touristes, vous allez vous faire avoir. J'ai vu tellement souvent des vendeurs de tapis tentant de vendre, à un prix exorbitant, un tapis commercial de mauvaise qualité à des touristes ignorants du produit qu'ils achètent.

Les tapis c'est comme les pierres précieuses : si vous ne connaissez pas, n'en achetez pas.

En sortant du souk, mon nouvel ami me propose, comme je m'y attendais, d'aller voir sa propre boutique. Comme il insiste et a été un bon professeur avec moi, je décide de le suivre tout en l'avertissant que je ne suis pas acheteur et que, de toute manière, je ne peux rien apporter dans mes petits bagages. C'est convenu, et nous partons vers son local qui est à deux coins de rue du marché.

Sa boutique est située dans un petit immeuble à deux étages sur une rue très passante. À voir la qualité de son inventaire, j'en conclus que le propriétaire (je ne suis pas certain que mon *guide* est le proprio) fait de bonnes affaires. Après avoir dit, en arabe, quelque chose à l'employé présent dans la place, il m'invite à monter à l'étage où sont, me dit-il, ses plus beaux tapis. Rendu à l'étage, il ferme la porte derrière moi et, à mon étonnement, la verrouille. Je note qu'il a parfaitement raison quand il dit que les plus beaux tapis sont à l'étage ; ils sont absolument magnifiques et de très bonne qualité.

Alors là, devant moi, il déroule le plus doux et le plus moelleux des spécimens en magasin et me demande de m'étendre dessus. Quand je lui rappelle lui avoir dit qu'il perd son temps, que je ne suis pas acheteur, il me dit : « Je veux m'étendre à côté de toi. » Oh, la, la ! Je ne l'avais pas vu venir, celle-là ! Il s'approche de moi et me montre son pénis. J'éclate de rire et là, je comprends tout son stratagème. Le suivi au souk, l'invitation à son bazar, le petit local à l'étage et la porte verrouillée. En fait, je ne crains pas pour ma sécurité, j'ai pratiqué les arts martiaux assez longtemps pour me défendre, mais la situation m'apparaît plus loufoque que dangereuse.

Après lui avoir dit qu'il n'avait pas fait le bon choix et qu'il s'était trompé sur ma personne, je lui mentionne n'avoir aucun problème avec les homosexuels, mais que de mon côté, *ce n'est pas ma tasse de thé*. C'est avec une certaine tristesse et déception que je lis dans ses yeux. Il m'explique que dans son pays musulman, on n'accepte pas l'homosexualité. S'il se fait prendre, il risque la prison, le fouet, et même la mort dans certains cas. Comme il avait remarqué le petit drapeau canadien sur mon sac à dos (comme beaucoup de globe-trotters, j'ai le drapeau de mon pays collé sur mes bagages), il savait pertinemment que le Canada est un pays très ouvert sur ce sujet. Bref, sa seule chance d'assouvir sa sexualité, c'est bien sûr avec des étrangers. Je quitte mon jeune et bel ami, désolé de n'avoir pu lui rendre service..., mais pas n'importe lequel. Je lui souhaite une meilleure chance la prochaine fois.

Je fus particulièrement impressionné par l'oasis de Palmyre, en Syrie, et son théâtre romain. Palmyre fut la plus prospère cité caravanière d'autrefois. Si, comme moi, vous avez aimé visiter le Parthénon d'Athènes, vous serez encore plus impressionné par Palmyre. Je me souviens très bien d'avoir fait le voyage d'Alep à Palmyre dans une camionnette où s'entassait une vingtaine de travailleurs. Comme j'étais le dernier à y monter et le seul étranger, on m'a fait une petite place assise sur un banc de bois près de la portière. On m'a aussi confié la responsabilité de remplir le seul verre d'eau que les hommes se passaient, les uns aux autres. Comme il faisait une chaleur torride et bien... J'ai bu moi aussi dans le même verre. Les Syriens semblaient me trouver un bien bizarre de touriste.

Parenthèse : à la suite à mon voyage en Syrie, j'ai gardé le souvenir d'un peuple accueillant et généreux. J'aurais beaucoup d'anecdotes à raconter sur mes conversations avec des Syriens. Il est tellement triste de constater que la guerre civile syrienne a fait plus de cent mille morts depuis mars 2011. Je suis loin d'être un spécialiste de ce conflit, mais cette guerre m'apparaît être une guerre de religion entre musulmans chiites et sunnites qui s'entre-tuent pour le pouvoir. Qui aurait pensé que mille quatre cents ans après Mahomet, les hommes se massacreraient encore pour un dieu ?

J'ouvre ici une autre parenthèse pour expliquer ma théorie du voyage. Il y a bien des manières de voyager dans des pays vraiment étrangers, j'entends ici des pays comme l'Inde, la Chine, le Vietnam, en fait l'Asie ou l'ex-URSS, le Moyen-Orient, etc. Dans ma tête, les pays d'Europe de l'Ouest comme la France, l'Italie, l'Allemagne, ne sont pas des pays de ce type parce que les habitants de ces derniers, à quelques exceptions près, vivent tout comme nous. Personnellement, je recherche le dépaysement total. C'est pourquoi je suis allé en Ouzbékistan, en Inde, en Birmanie, en Mongolie, etc. Pour moi, aller passer deux semaines dans un tout inclus en République dominicaine, c'est parfait pour se reposer de l'hiver québécois, mais ce n'est pas un véritable voyage, j'appelle ça, un déplacement. Pourquoi ? Parce que l'on se retrouve dans les mêmes hôtels de luxe, on mange, à peu de chose près, la même nourriture qu'ici au Canada, on boit les mêmes vins et le soir on se retrouve dans des discothèques où on entend la même musique américaine et on pratique les mêmes danses. On y rencontre évidemment des Québécois qui parlent français comme nous. Alors, pour le dépaysement, on repassera !

Pour ceux qui préfèrent le dépaysement, il y a grosso modo deux façons de voyager : le voyage en groupe (petit ou grand) avec circuit tout tracé par une agence de voyages. C'est généralement (le concept le dit) très bien organisé : sûr et sécuritaire, nuits dans des hôtels quatre ou cinq étoiles, bonne nourriture et l'avantage de voir beaucoup de pays en peu de temps. C'est une excellente façon de voyager et de visiter en toute quiétude des pays étrangers. Le désavantage : pas ou peu de contact avec les habitants du pays. L'autre façon de voyager, et c'est celle que je préfère : voyager en sac à dos, dormir dans de petites auberges locales ou même chez l'habitant, prendre le transport en commun et voyager avec les autochtones, manger dans le restaurant familial ou sur la rue, visiter des villages avec un guide-traducteur, assister à un mariage ou à une fête communautaire. Bref, vivre avec le peuple.

Voyager seul est encore plus propice aux rencontres avec les habitants du pays. Je pourrais écrire tout un chapitre sur mes rencontres de voyage: au Japon, chez une famille où j'ai été accueilli, je suis reparti avec un kimono japonais, un cadeau de la maîtresse de la maison. En Inde, je suis demeuré dans une maison multigénérationnelle et on m'a traité comme un membre de la famille. En Ouzbékistan, j'ai dormi dans un village où les habitants n'avaient jamais vu un étranger. Aux îles Fidji, je vivais dans ma hutte et j'ai participé à la cérémonie du kava. En Mongolie, j'ai suivi les nomades et dormi sous leur yourte. Mes plus beaux souvenirs de voyage, ce n'est pas ce que j'ai vu, mais bien ce que j'ai vécu. Mais revenons à la Jordanie.

En Jordanie, octobre 2001, cinquante-trois ans

Il y a beaucoup de sites intéressants à voir en Jordanie: Pétra, considérée comme l'une des sept nouvelles merveilles du monde, la place Ovale de Jerash, la mer Morte et Amman, la capitale du pays.

Je suis à Amman (on dit que c'est la plus vieille ville du monde), où je visite quelques-unes des plus impressionnantes mosquées du Moyen-Orient, dont la mosquée du roi Abdallah. Je me promène le soir dans la ville. Il est frappant de constater qu'il n'y a aucune femme (ou presque) dans les rues ou dans les parcs. C'est un monde d'hommes; partout sur les terrasses les hommes flânent en fumant le narguilé, une pipe à eau. Des rassemblements incroyables d'hommes qui semblent ergoter sans fin sur je ne sais quel sujet, et bien entendu, selon la coutume, les femmes, elles, restent à la maison. Je ne rencontre jamais une femme seule, sauf une touriste.

Après Amman, je me dirige vers la mer Morte à quelques kilomètres seulement de la capitale. Depuis toujours, je rêve de m'y baigner. Comment imaginer que l'enfant de chœur de la paroisse de Saint-Vincent-de-Paul de Montréal qui, à cette époque, lisait des passages de la Bible où l'on parle du Jourdain, du mont Sinaï et de la mer Morte, puisse un jour visiter toute cette partie du monde? Cela ne semblait pas possible.

Je descends de l'autobus à une station balnéaire au bord de la mer, aménagée avec douches (très important après la baignade) et toilettes, bref, de tout pour bien accueillir les vacanciers. Je me trouve parmi les premiers arrivés. Il fait très chaud, et l'eau de la mer n'est pas ce que l'on pourrait qualifier de rafraîchissant. C'est en effet une solution saline dont la concentration est tellement élevée qu'un être humain peut y flotter. Une sensation assez particulière, mais n'oubliez surtout pas de prendre une bonne douche en sortant de la mer, sinon vous allez le regretter amèrement.

Après ma courte baignade, je décide de marcher sur la grève jusqu'au prochain village. C'est à cet endroit que s'est passée l'aventure que je racontais au début de ce récit, mon incursion en territoire interdit.

Le passage de la mer Rouge, novembre 2001, cinquante-trois ans

Après la mer Morte, je me dirige vers la mer Rouge que je dois traverser pour me rendre en Égypte. Parti de la ville d'Amman tôt le matin, j'arrive enfin à Aqaba, une petite ville côtière située sur le golfe du même nom. C'est le seul port du pays. La ville est mitoyenne d'Eilat, en Israël. Selon le récit biblique du passage de la mer Rouge, cette mer bloquait le passage des Israélites fuyant l'armée égyptienne et elle s'ouvrit miraculeusement pour les laisser passer, se refermant par la suite sur leurs poursuivants. Ce récit est considéré comme l'un des événements déterminants du judaïsme. Comme la mer Rouge refuse obstinément de s'ouvrir une deuxième fois (juste pour moi) et que je n'ai pas l'intention de traverser la mer à la nage, je suis donc à la recherche d'un navire.

Je flâne sur le port à la recherche d'un traversier, mais la majorité des compagnies maritimes ont des bateaux pour le transport des marchandises, mais pas pour les passagers. Je finis par trouver une compagnie qui accepte de me faire monter sur son navire, mais il n'y a ni cabine ni restaurant, bref aucune installation pour un voyageur solitaire. Pas de problème, je paye mon passage et je vais me débrouiller comme je l'ai toujours fait. Le départ est prévu pour 16 h, il est retardé à 20 h et, finalement, le bateau quittera le port un peu après minuit. Je suis déjà fatigué quand je monte à bord. Le personnel du bateau m'ignore totalement comme si j'étais invisible. J'ai beau chercher un endroit calme pour dormir, impossible. Les canots de sauvetage sont attachés trop haut pour que je puisse les atteindre. Finalement, je monte sur le pont supérieur et près de la cheminée, je sors mon sac de couchage et je m'endors au son des machines. La preuve que le corps humain peut s'adapter à toutes les situations !

Permettez-moi une digression. Il m'arrive souvent de penser à notre petit confort nord-américain et à la peur de le perdre. La nature humaine étant ainsi faite, on veut et on exige de plus en plus de commodités, de gadgets inutiles et de facilité dans la vie. C'est la loi du moindre effort. On vit dans un monde tellement douillet que le moindre changement d'horaire ou de conditions de travail mène certaines personnes au bord du suicide. Vous allez dire que j'exagère, mais c'est exactement ce que je viens de lire dans le Journal de Montréal de ce matin, le mardi 2 avril 2013 : « Au bord du suicide pour un changement d'horaire. »

Les enseignants disent aux élèves que l'important n'est pas de gagner, mais de participer... Pourquoi alors donner des trophées et des médailles ? Est-ce pour les mêmes raisons qu'on ne donne plus de bulletin avec des notes ? Selon moi, le corps humain est fait pour s'adapter à toutes situations et il est capable de grands projets si on y met les efforts nécessaires. J'ai eu l'occasion de faire des entrevues avec des Québécois qui ont réussi grâce à leur travail, à leur courage, et leur détermination.

Entre autres, Jean Coutu, le fondateur des pharmacies PJC, qui comptent aujourd'hui trois cent soixante-dix-huit établissements au Québec, un des plus grands modèles québécois ; Jean-Marc Chaput, le plus remarquable conférencier au Québec ; à quatre-vingt-deux ans, il s'apprête à remonter sur scène. Jean Béliveau – pas le célèbre hockeyeur du Canadien, mais l'homme qui a eu la gentillesse de faire la préface de mon livre – a réalisé son rêve de faire le tour du monde en marchand soixante-quinze mille kilomètres à pied. Quels courage et détermination ! Gaétan Frigon a fait ses débuts chez Eaton, pour devenir le « roi du commerce de détail » au Québec. Il a bâti sa fortune de rien, devenant aussi l'un des *dragons* les plus populaires de la série télévisée *Dans l'œil du dragon*. À la suite de ces entrevues, il m'a semblé évident que toute personne qui a réalisé de grands projets ou de grands rêves a dû, à un moment ou à un autre, exiger de lui-même un effort supplémentaire tellement rigoureux que la plupart des gens n'osent le faire.

Une société qui n'incite pas ses citoyens à l'effort restera une société médiocre et non performante.

L'Égypte, novembre 2001, cinquante-trois ans

Après la traversée de la mer Rouge, j'arrive au désert du Sinaï en Égypte vers les 5 h du matin. Sur le port, côté égyptien, il n'y a pour ainsi dire rien. Je ne trouve pas d'hôtels ni de restaurants ouverts. Je marche jusqu'à une petite bourgade où j'y trouve quelques-uns de ces établissements, mais ils sont tous fermés. Il faut comprendre qu'on est au début de novembre, et la saison touristique est terminée depuis quelques semaines. Je m'installe sur la plage près de l'auberge, je mange quelques noix et, finalement, je décide de dormir sur le sable en attendant que le village se réveille. Vers 9 h, je me fais réveiller par le klaxon d'une voiture. Au début, je crois que c'est la sécurité, mais finalement c'est une voiture taxi dont le chauffeur m'offre ses services. Je lui dis de revenir plus tard et j'ouvre la carte du pays afin de savoir où je me trouve exactement.

Le Sinaï est une péninsule située entre la Méditerranée et la mer Rouge. Cette région au climat tropical sec est aujourd'hui habitée par plus de quatre cent mille Égyptiens.

Les villes les plus connues sont Taba et Charm el-Cheikh, qui sont des destinations touristiques populaires. La dernière est une destination de villégiature très appréciée des plongeurs sous-marins. Personnellement, c'est la montagne qui m'intéresse. La plus élevée est le mont Sainte-Catherine culminant à deux mille six cent quarante-deux mètres, le sommet le plus haut d'Égypte. Le mont Sinaï, ou la montagne de Moïse, haut de deux mille deux cent quatre-vingt-cinq mètres, est d'après la Bible le lieu où Moïse aurait reçu les Dix Commandements. Qui n'a pas rêvé de gravir le mont Sinaï? Un autre de mes rêves qui se concrétise.

Quand la voiture taxi revient, je demande au chauffeur le prix pour faire le trajet de la plage jusqu'au mont Sainte-Catherine, ce qui représente à peu près trois heures de route à travers le désert. Afin de réduire les frais de la course, nous partons à la recherche de clients éventuels qui souhaiteraient aller dans la même direction. Finalement, comme nous n'en trouvons pas, nous convenons d'un prix et c'est comme seul passager de cette voiture que je vais me rendre à cette fameuse montagne tant décrite dans les livres sacrés.

Le chauffeur me dépose à la porte du monastère Sainte-Catherine-du-Sinaï, un établissement orthodoxe grec situé à la base du mont du même nom. Il fut construit sur l'ordre de l'empereur Justinien entre 527 et 565 là où aurait flambé le fameux « buisson ardent » mentionné dans la Bible. C'est l'un des plus anciens complexes religieux au monde encore en activité. Il compte une vingtaine de moines, et il offre des chambres confortables pour les touristes à un prix raisonnable. J'ai de la chance, il reste une chambre de disponible. Je ne prends qu'une minute pour déposer mes bagages et je cours au petit resto de la place. Il ne faut pas oublier que je n'ai presque rien mangé de substantiel depuis trente heures. Je m'assois à une table occupée par deux couples hollandais très sympathiques. J'avais prévu monter sur la montagne le lendemain, mais mes nouveaux amis, qui partent dans quelques minutes, m'offrent de les suivre, ce qui sera plus sécuritaire pour moi puisque je n'ai pas réservé les services d'un guide.

Il est passé 14 h lorsque nous attaquons la montagne. Deux chemins principaux mènent au sommet. Par le plus long et le moins escarpé, il faut environ deux heures et demie à pied pour gravir la montagne. Ce sentier est accessible aux chameaux. L'autre itinéraire passe dans le ravin derrière le monastère et est surnommé *la route aux trois mille sept cent cinquante pas de la pénitence.* Ce dernier sera notre choix, mais j'avoue bien honnêtement ne pas avoir compté les pas et je n'ai pas autant de péchés à me faire pardonner ! Je n'étais pas certain d'avoir l'énergie nécessaire pour suivre mes nouveaux jeunes amis à leur rythme, mais, finalement, mon expérience de marche en montagne a fait en sorte que je devais parfois les attendre. Sur le chemin, nous rencontrons plus de Bédouins que de pèlerins. Je me suis attardé à faire la conversation avec un jeune garçon qui voulait me vendre une bouteille d'eau. En fait, je voulais savoir s'il allait à l'école et, si oui, où elle était située.

Son père m'a indiqué qu'après le deuxième tournant en haut du pic, je verrais, sur la gauche, l'école dans le fond de la vallée. J'ai effectivement pris en photo cette école perdue dans le milieu des montagnes du Sinaï. Malheureusement, nous rencontrons aussi des tas de déchets, des tonnes de bouteilles et de sacs de plastique. C'est tellement triste de constater le je-m'en-foutisme des habitants de cette planète, que ce soit les Bédouins ou les touristes. Les déserts ne seront bientôt que les dépotoirs de la terre. Bof ! « Ce n'est pas grave, après tout, ce n'est qu'une étendue de sable ! »

Après cette petite balade, nous arrivons enfin au sommet, là où Moïse se rendit pour recevoir les Tables de la Loi. Selon la Bible, lorsque Moïse descendit du mont Sinaï, il se rendit compte que les Hébreux s'adonnaient à l'adoration d'un veau d'or. Il fut pris d'une colère si grande qu'il fracassa les Tables de la Loi sur un rocher. Moïse dut alors retourner au sommet du mont Sinaï afin d'en recevoir de nouvelles.

Il est évident que Moïse s'est mis en colère inutilement puisque son peuple, les juifs, et tous les peuples de la terre adorent encore aujourd'hui l'or et l'argent. Mais ça, c'est une autre histoire !

À l'endroit même où Moïse[1] aurait reçu les Tables de la Loi, on a bâti une petite chapelle.

Tout à côté, des marchands offrent aux touristes de passer la nuit à la belle étoile sur le mont Sinaï en leur louant des couvertures. C'est quand même une belle expérience à raconter à ses petits enfants, non? Mes amis décident de rester, moi, personnellement, je suis hésitant. En fait la raison de mon hésitation, c'est que je n'ai pas pris de douche ni dormi dans un lit depuis trois jours, et qu'une chambre très confortable m'attend au monastère tout en bas de la montagne. Je prends la décision de redescendre tout seul, mais il se fait déjà tard et je me fais prendre par la noirceur. Sans lampe de poche, ni carte de la région, ni téléphone cellulaire, ce n'était pas ma meilleure décision, mais, heureusement, c'est la pleine lune. Mon GPS naturel (entre les deux oreilles) a encore fonctionné cette fois-ci et quelques heures plus tard, j'étais dans mon lit. En fait, ma crainte n'était pas de me perdre, mais bien de me faire attaquer par des voyous. Je transportais à ce moment-là, dans ma ceinture, plusieurs milliers de dollars, ainsi que mes cartes de crédit et mon passeport. Je n'ai pas raconté cette histoire non plus à ma mère…

Je prépare mes bagages. Je suis prêt à partir pour aller voir les grandes pyramides à Gizeh, en banlieue de la ville du Caire. Aussitôt que je franchis les portes du monastère Sainte-Catherine, je me retrouve devant une scène assez particulière. Il y a des militaires, beaucoup de militaires, avec des camions de l'armée, des espèces de Jeep avec des mitrailleuses sur le toit. Ils encadrent une foule de touristes, surtout des

1. Les spécialistes contemporains en matière de Bible et de lieux bibliques considèrent en majorité qu'il s'agirait d'un personnage de légende.

Français, à la recherche d'un moyen de transport pour aller au Caire. Je cherche à éviter la cohue, mais je suis tout de suite empêché par des soldats qui ne me laissent pas d'autre choix que d'embarquer dans un de ces bus à touristes. Finalement, on forme un convoi d'autobus qui sera escorté par un nombre impressionnant de véhicules militaires. Pourquoi ce branle-bas de combat?

À cause d'un attentat terroriste qui a eu lieu quelques années auparavant dans un site archéologique près de Louxor en Égypte. L'attaque revendiquée par des terroristes islamistes avait fait soixante-deux morts, tous des étrangers. L'industrie touristique fut durement affectée et le gouvernement égyptien décida de prendre les grands moyens pour protéger les voyageurs partout sur son territoire. Il faut mentionner que le tourisme est la première source de devises de l'Égypte, avec des recettes de l'ordre de sept milliards de dollars par an. L'industrie du tourisme, à elle seule, emploie douze pour cent de la population active du pays. Ce n'est pas à négliger, plutôt à protéger.

Donc le convoi se met en route, nous traversons le désert jusqu'à Suez. À travers la fenêtre, je vois de vieux pneus, des sacs et des bouteilles de plastique. C'est désolant. Je rêve du jour où on inventera des sacs et des bouteilles biodégradables. Avec une population mondiale estimée à sept milliards d'êtres humains vivant sur cette belle planète bleue, il faudra bien penser un jour à faire des ordinateurs et des téléphones portables biodégradables, sinon les déserts seront très bientôt les dépotoirs de la terre. Peut-on s'imaginer sept milliards de personnes qui constamment changent leurs appareils électroniques pour le tout dernier plus tendance?

La ville est située dans la partie nord de l'Égypte sur le bord du Nil. À l'ouest de la ville se trouve la banlieue de Gizeh, là où se trouvent les trois grandes pyramides, Khéops, Khéphren et Mykérinos. Je descends de l'autobus au terminus du centre-ville pour être immédiatement abasourdi par le tapage des crieurs annonçant les prochains départs, et des klaxons des voitures. On raconte, à la blague qu'au Caire les voitures n'ont pas de freins, seulement un avertisseur! Ajouter à tout ce bruit, l'*adhan*, l'appel à la prière. Cela vous donne envie de retourner… dans le désert ! M'enfin… je suis venu en Égypte pour voir les grandes pyramides et demain je serai au pied du sphinx admirant la première merveille du monde.

Je me souviens précisément de ce jour. Le matin, très tôt, je monte dans l'autobus et je place mes mains en signe de triangle pour expliquer au chauffeur où je veux aller. Il comprend très rapidement la destination qui m'intéresse. Il me fait signe de m'asseoir dans le premier siège, en avant de l'autobus. Le lourd véhicule roule et roule à travers la ville. Les gens montent et descendent. Pas de pyramides en vue. Je me demande si le chauffeur m'a bien compris. Plus d'une heure a passé lorsque, dans un quartier résidentiel, il me fait signe de descendre. Je débarque, mais je ne vois aucune pyramide à l'horizon ! C'est pourtant gros, une pyramide !

Je reviens sur mes pas, la porte du véhicule est encore ouverte et encore une fois, je fais signe au chauffeur avec mes mains. Il me répond d'un signe de la main de me rendre au bout de la rue, ce que je fais, et là, WOW, c'est à couper le souffle ! Je ne pouvais les voir à cause des bâtiments en hauteur, mais, là, au pied d'une colline, trois murailles de pierre s'élèvent au loin dans le désert. Je vois des autocars remplis de touristes qui arrivent en grand nombre en haut de la colline, mais, moi, je marche, je marche jusqu'au sphinx. Je suis impressionné, jamais je ne l'aurais cru si haut et si grand !

Une sculpture monumentale ! La plus grande du monde avec ses soixante-treize mètres et demi de long, quatorze mètres de large et plus de vingt mètres de haut ! Si le corps et la tête sont sculptés à même le roc, les pattes ont été ajoutées en maçonnerie. Les égyptologues s'entendent pour dire que cet ouvrage date de 2500 Av. J.C. Fait étonnant, lors de la campagne d'Égypte de Napoléon en 1798, le sphinx n'apparaissait qu'au tiers, car il était déjà partiellement enseveli sous le sable. En 1839, le site était totalement ensablé et le sphinx avait disparu. À plusieurs reprises, ce spectaculaire monument a dû être dégagé.

La renommée internationale de Gizeh est due aux célèbres pyramides de Khéops, Khéphren et Mykérinos. C'est posément que je monte le chemin qui me conduit vers les pyramides. Jusqu'à maintenant, ces monuments n'avaient existé dans mon esprit que sous forme de dessins d'enfance et je ne réalise pas encore qu'elles sont désormais à seulement quelques pas de moi. Je marche timidement autour des trois pyramides, comme si j'avais peur de manquer de respect à ces monuments qui ont traversé des millénaires et qui sont encore là, défiant la nature et l'usure. Je vois des attroupements de touristes derrière un guide arborant un fanion rouge, vert ou orange selon la couleur de la casquette que portent les membres de son groupe. Le guide peut leur raconter n'importe quoi, ils applaudissent. De mon côté, j'ai l'impression d'être seul, confiné dans ma bulle tellement je suis impressionné. Je m'éloigne et je contemple ces gigantesques monuments. Les questions fourmillent dans ma tête : comment ont-ils réussi ces prodiges ? Sept millions de tonnes de matériaux pour une seule pyramide : comment les ont-ils transportées ? Comment faire tout cela avec des outils rudimentaires ?

Finalement, j'ai une petite fringale et je décide de descendre de mon poste d'observation et d'aller manger pour ensuite revenir. Surprise totale : tout en bas de la colline, dans la rue, à quelques centaines de mètres de ces monuments antiques, j'ai le choix entre Burger King ou Pizza Hotte (sic). J'opte pour la pizza. Je monte au deuxième étage du resto et là, attablé, je déguste ma pointe de pizza avec comme fond de scène… le sphinx ! Il semble me regarder manger.

Comment expliquer qu'un peuple qui a accompli de tels exploits il y a près de cinq mille ans, tolère encore en l'an 2014 l'excision sur plus de cinq femmes sur dix en régions rurales de l'Égypte ? Comment justifier que de telles pratiques ne soient pas rigoureusement interdites dans ce pays ? Je me demande si Cléopâtre a été excisée. On ne peut que se poser la question !

Je veux me rendre visiter la vallée des Rois et des Reines à sept cents kilomètres de la ville du Caire. Je prends un train de nuit et j'arrive à la gare de Louxor au petit matin. Avec plus de quatre millions de visiteurs par an, c'est l'un des endroits les plus fréquentés de l'Égypte. La ville est située au bord du Nil, d'où partent des centaines de bateaux-hôtels qui vont naviguer jusqu'à la ville d'Assouan d'où on peut admirer l'immense barrage financé en partie par l'ex-URSS. Il y a plusieurs temples très intéressants à visiter à Louxor, comme celui de Karnak, mais moi, je suis venu ici pour voir la vallée des Rois et des Reines qui sont situées de l'autre côté du Nil.

J'aime cette ville sympathique et chaleureuse. J'ai trouvé une petite auberge à quinze dollars la nuit et, en prime, le proprio me prête son vieux vélo. Je trouve facilement un traversier et je vais en profiter pour aller sur l'autre rive. Mon vélo me donne la liberté d'aller là où les touristes ne vont habituellement pas. De ce fait, je ne tarde pas à découvrir tout un autre décor : des maisons bâties en briques de terre cuite, abritant des animaux dans une pièce contiguë, des champs de canne à sucre, des femmes qui descendent au fleuve pour faire la lessive et bavarder. J'ai l'impression de reculer dans le temps. Bref, les rives du Nil offrent encore aujourd'hui les mêmes scènes bibliques qu'à l'époque de Jésus. On est bien loin de la ville moderne du Caire, et son riche quartier de Zamalek.

Sur l'unique route goudronnée, je suis les autocars de touristes se dirigeant vers la vallée des Rois et des Reines. Ce lieu est connu pour abriter les tombeaux de nombreux pharaons dont le plus notoire est celui de Toutânkhamon. Ce dernier doit sa célébrité à la découverte de son tombeau pratiquement intact par l'archéologue Howard Carter en 1922, et de son fabuleux trésor. J'ai eu la chance de visiter sur place le tombeau de Toutânkhamon, mais aussi, d'admirer son trésor exposé au musée égyptien du Caire.

Dans le stationnement des autobus, j'ai cadenassé mon vélo et je me suis promené sur les collines environnantes, rencontrant des archéologues, surtout français, suivis de mules rapportant quelques échantillons de roches à analyser. Je me suis fait arrêter à quelques reprises par des militaires qui tenaient absolument à assurer ma sécurité en m'interdisant tel ou tel chemin. Je finissais toujours par déjouer leur surveillance.

Un des temples funéraires les plus impressionnants qu'on puisse voir à cet endroit est, paradoxalement, celui d'une reine : le temple d'Hatchepsout. C'est le plus impressionnant qu'il m'ait été donné de voir. Sa notoriété vient du fait qu'elle a été une des rares reines-pharaonnes. Elle devait avoir beaucoup de caractère puisqu'après son couronnement, elle osa porter le postiche, un accessoire habituellement réservé aux rois.

Je quitte à regret la région du Louxor, mais j'y reviendrai quelques années plus tard y faire une magnifique croisière sur le Nil jusqu'au barrage d'Assouan. Petite anecdote : c'est alors que je suis à Louxor en 2001 que le président américain, Georges W. Bush, déclare la guerre aux talibans en Afghanistan. À partir de cette journée, je remarque que le restaurant McDonald's est désormais gardé par des soldats. Quelques jours plus tard, je suis apostrophé par un individu qui m'engueule, croyant probablement que je suis Américain. Je me dis alors qu'il est temps que je quitte ce pays. Aujourd'hui, après le « printemps arabe », après la répudiation des Frères musulmans et le retour de l'armée, je me demande si les Égyptiens sont vraiment mieux qu'ils ne l'étaient avec Hosni Moubarak. Seul l'avenir le dira.

Chapitre 20

Bromont, juin 2002, cinquante-quatre ans

Ma « date d'expiration » n'était pas arrivée

À cette époque, au mois de juin 2002, j'habite une petite maison de campagne tout près de Sutton dans l'Estrie. En cette belle journée de début de l'été, j'ai un rendez-vous d'affaires avec mon ami Paul Unterberg à Montréal, mais je prends la route avec quelques minutes de retard. Habituellement, je suis assez prudent en voiture, mais, voilà, comme je suis en retard, je roule un peu vite. À la hauteur du kilomètre soixante-douze de l'autoroute des Cantons de l'Est, la circulation vers le nord est déviée vers la voie du côté sud à cause de travaux de voirie. Comme c'est le cas bien souvent au Québec, les indications ne sont pas très claires, et en faisant un dangereux U-Turn ma voiture, une petite Nissan Sentra, aboutit littéralement à moins d'un mètre d'un énorme camion Kenworth qui fonce en ma direction. En fait, le pare-chocs du camion occupe toute la fenêtre de ma portière. Il n'y a plus rien à faire ! En un flash de cinq secondes, je vois le visage de mes trois enfants puis… C'est le choc !

Durant ces quelques secondes, le conducteur du camion a le temps de donner un coup de volant, et plutôt que de frapper de plein fouet ma portière, il frappe la section arrière de ma voiture, ce qui me sauve la vie. Sous le choc, la Nissan tourne comme un pain de savon dans une baignoire et revient frapper les roues arrière du mastodonte. Ce dernier, poursuivant sa course, ira la finir dans le garde-fou entraînant ma voiture.

Même attaché dans l'auto par ma ceinture, mon corps est comme une balle dans une machine à laver. Ma tête cogne partout où il y a quelque chose à frapper.

Quand tout s'arrête, je ne sais plus si je suis conscient ou non, mais je me rappelle que mon téléphone a sonné, et qu'un policier de la Sûreté du Québec a informé son interlocuteur qu'on me transporterait à l'hôpital de Granby. C'est à ce moment que je m'évanouis, pour ne reprendre mes esprits que lorsque les pompiers commencent à découper ma voiture pour m'en extirper. Il règne dans l'auto une forte odeur d'essence.

Par les journaux, j'apprendrai plus tard qu'on a dû fermer l'autoroute parce que mon réservoir de carburant avait éclaté sous l'impact. Je suis ensanglanté et à demi conscient, et je ne me souviens pas comment les pompiers ont réussi à me sortir de la voiture. Par contre, je me rappelle avoir dit aux ambulanciers de ne pas m'attacher sur la civière, car je suis claustrophobe depuis que je suis allé dans les tunnels de Cu-Chi au Vietnam. Je sens que je n'ai plus l'usage de mon bras gauche; en fait, j'ai l'épaule disloquée. Avant de m'endormir ou de m'évanouir à nouveau, j'entends la sirène de l'ambulance qui me transporte à l'hôpital de Granby.

À mon réveil, mon ami Paul, accompagné de sa femme, est à mon chevet. Ils sont très inquiets, car ils ne connaissent toujours pas mon état de santé. Il faut dire que Paul et moi, nous sommes comme deux frères. Finalement, à part une commotion cérébrale majeure et une épaule disloquée, ce ne sera rien… ou presque. Je pense encore aujourd'hui que si je m'en suis si bien sorti, c'est en partie grâce à la très grande souplesse de mon corps. Je dis souvent à la blague que l'on pourrait me ranger dans une boîte à souliers. M'enfin, j'exagère peut-être un peu…

Quelques jours plus tard, mon fils cadet Jonathan vient me chercher à Granby, où j'étais hébergé et soigné par des amis, Pierre et Renée. Je leur serai toujours reconnaissant de ce qu'ils ont fait pour moi. Sitôt arrivé à Saint-Jérôme, je m'installe chez mon fils aîné, Marco, qui, lui-même, à ce même moment, est très malade.

L'Hôpital général juif sauve mon fils

À peine arrivé à la maison, je me rends dans la chambre de mon fils m'enquérir de son état de santé.

Il m'explique qu'il a très mal au ventre, qu'il est allé à l'hôpital de Saint-Jérôme et qu'on l'a retourné à la maison en lui recommandant de prendre un laxatif, ce qu'il a fait. La nuit venue, Marco, qui est un athlète accompli (ceinture noire en taekwondo et aussi en judo) est tellement mal en point que je l'entends délirer. Il est presque inconscient quand je vais le voir à 4 h du matin. Étant donné la situation, je décide d'appeler son frère Jonathan ainsi que sa mère, de même que son mari, Robert, afin qu'ils viennent m'aider à transporter Marco à l'hôpital. Je leur dis que c'est urgent. Ils viennent avec une fourgonnette dans laquelle nous couchons le malade et j'insiste pour que nous nous rendions non pas à l'hôpital de Saint-Jérôme en qui je n'ai aucune confiance, mais bien à l'Hôpital général juif de Montréal. Le personnel très compétent de l'urgence de cet hôpital ne met que quelques secondes à diagnostiquer une péritonite aiguë. Selon le chirurgien qui va l'opérer, c'est une course contre la montre puisque ses organes sont déjà infectés. La chirurgie se pratique de toute urgence et on lui sauve la vie.

Il m'arrive souvent de me demander avec un froid dans le dos ce qui serait arrivé si je n'avais pas été chez lui ce soir-là. Où serait mon fils aujourd'hui ? Je me rappelle tellement avoir veillé sur lui après la chirurgie. Il dormait dans son lit et moi, dans la chaise à côté.

Marco se réveillait de temps en temps en demandant : « Papa, es-tu là ? » Je me réveillais le temps de lui dire : « Oui, mon fils ! » et je me rendormais immédiatement tellement j'étais moi-même commotionné après mon accident. Plusieurs parents qui me lisent vont se dire, tout comme moi, que lorsque la vie ou même la santé d'un de nos enfants est en jeu, on oublie rapidement tous nos petits et gros bobos. Finalement, mon épaule a guéri assez rapidement, mais, pour ce qui est de ma mémoire, il a fallu beaucoup plus de temps. En fait, j'ai pensé ne pas la retrouver complètement. Par contre, j'ai eu vraiment peur de perdre ce que j'ai de plus précieux : un de mes enfants !

Chapitre 21

Le Pérou, septembre 2002, cinquante-quatre ans

J'arrive à Lima et je m'installe dans une petite auberge, très chaleureuse, située dans le joli quartier Miraflores au bord de l'océan Pacifique. C'est la première étape d'un long voyage en Amérique du Sud. Je ne m'attarde pas à Lima, puisque le but de mon voyage, c'est de marcher sur le chemin des Incas. C'est à partir de Cuzco que je vais entreprendre un trek sur le fameux *Camino del Incas*.

Les chemins incas forment un immense réseau créé à l'époque de cet empire. Il servait au transport de denrées et de personnes, et, aussi pour acheminer les dépêches royales. Comme les Incas ne savaient ni lire ni écrire, les nouvelles étaient transmises à l'aide d'un *quipu*, un ensemble de cordelettes multicolores rattaché à une corde. Ces messages étaient transportés par des *chasqui* (messagers) et pouvaient être acheminés sur une distance pouvant aller jusqu'à deux cent quarante kilomètres en un jour. À l'apogée de l'Empire inca, ce réseau couvrait environ vingt-deux mille cinq cents kilomètres. Des *tambos* (auberges) étaient construits par le gouvernement le long du parcours afin de permettre aux messagers de se reposer.

Cuzco est une ville située à plus de trois mille mètres d'altitude, peuplée par environ trois cent mille habitants. C'était la capitale de l'Empire inca. Dans la ville, on remarque l'héritage espagnol en de nombreuses cathédrales dont la plus imposante est Notre-Dame-de-l'Assomption sur la plaza Del

Armas. Autour de cette plaza, on peut trouver bon nombre de guides et d'excursions vers le Machu Picchu et la Vallée sacrée des Incas. Fidèle à mon habitude, je réserve les services d'un guide privé et deux jours après mon arrivée, je suis impatient de partir en montagne.

Trouver un bon guide de montagne n'est pas chose facile. Il n'y a pas que le prix à prendre en compte, mais surtout la fiabilité. Après tout, je remets ma vie entre ses mains. Devenir guide nécessite une grande pratique de la montagne, sous toutes ses formes, et un sens aigu du terrain et de ses dangers. Dans des pays comme la France, la profession est contrôlée par le ministère de la Jeunesse et des Sports et un code déontologique a été adopté par le Syndicat national des guides de montagne. Ici, au cœur des Andes, il n'y a aucun diplôme ni certification. N'importe qui peut s'improviser guide. Je dois me fier à mon instinct qui ne m'a toujours pas trompé jusqu'à ce jour.

Mon guide est de l'ethnie quechua, un peuple d'Amérique du Sud. Sa langue maternelle, le *quechua*, possède le statut de langue officielle au Pérou depuis 1975. Il parle l'espagnol, mais très peu le français, et c'est très bien ainsi. Quand je marche dans la montagne, je préfère le silence, j'aime écouter la nature. Manu, c'est le nom du guide, est un homme fort et infatigable. Il transporte tout l'équipement de camping; je veux l'aider, mais il refuse. Il semble connaître tout le monde que l'on croise sur la piste, il ouvre des barrières de terrains privés, il va saluer les habitants. Les paysages sur ma route sont à couper le souffle. J'aperçois au loin les cimes enneigées des Andes. La végétation est très dense. Parfois, des singes nous accompagnent. Nous traversons des cours d'eau sur des ponts suspendus par des câbles.

Je me sens comme Indiana Jones dans *Les aventuriers de l'arche perdue*. Nous nous arrêtons près des ruisseaux. L'eau est claire comme le cristal, Manu allume un petit feu de bois, il prépare la soupe et même un *mate* de coca. C'est une infusion faite avec des feuilles de coca typique des régions andines. Les habitants conseillent cette ancienne boisson pour atténuer le mal aigu des montagnes. Ça semble fonctionner. À la tombée du jour, on s'arrête dans un petit hameau de trois maisons, situé près d'une falaise. La vue est spectaculaire. Je monte la tente pendant que Manu prépare le souper avec l'aide des habitants du village. C'est rudimentaire, mais délicieux. La nuit est fraîche et, bien enroulé dans mon sac de couchage, le sommeil vient me chercher rapidement. Demain, la « vieille montagne » !

Machu Picchu est désigné comme l'une des sept nouvelles merveilles du monde. Elle se trouve près de la cordillère des Andes, à cent trente kilomètres de Cuzco. À deux mille quatre cents mètres d'altitude, elle offre une vue spectaculaire sur le Rio Urubamba. Machu Picchu, qui veut dire vieille montagne en *quechua*, est une ancienne cité sacrée inca. Elle fut découverte par l'archéologue américain Hiram Bingham. Il semblerait que ce site fut utilisé comme un sanctuaire religieux, mais rien n'est définitif puisque les Incas, ne connaissant pas l'écriture, n'ont pas laissé d'information ni sur pierre ni sur papier.

Bâti sur un promontoire rocheux, l'ensemble du site est très impressionnant. Machu Picchu impose le respect; je le visite en silence, et je m'interroge: comment monter des blocs de pierre provenant de carrières éloignées, pouvant peser plusieurs tonnes, jusqu'au sommet de la montagne? À ne pas oublier que les Incas ne connaissaient pas la roue.

On ignore toujours les véritables raisons qui ont amené les Incas à abandonner ce site. En descendant la montagne par des petits sentiers jusqu'à Aguas Calientes, mes pensées sont encore là-haut. J'imagine tout un peuple assemblé derrière un énorme projet collectif et très peu de moyens pour le réaliser. Autrement dit: comment réussir l'impossible?

Est-il possible de nos jours de rassembler le peuple québécois derrière un grand projet collectif?

Je suis de retour sur le *Camino del Incas*, mais maintenant du côté de la Bolivie. En fait, après une excursion sur le lac Titicaca, je fais un arrêt à La Paz pour quelques jours, le temps de trouver un guide et d'organiser un trek.

Au poste frontalier

Deux événements sont survenus avant que je ne revienne en montagne. D'abord, à la frontière entre le Pérou et la Bolivie, l'autobus dans lequel je voyage s'arrête tout bonnement au poste frontalier. Il n'y a que trois étrangers à bord du véhicule, tous les autres passagers sont des Péruviens ou des Boliviens. Les douaniers montent à bord de l'autobus et me demandent mon passeport ainsi que celui de l'amie qui m'accompagne. On nous fait descendre avec nos bagages et on nous amène dans un petit poste de police et, là, c'est la comédie classique.

D'abord, ils sont dix policiers avec des mitraillettes, histoire de nous intimider, d'impressionner. On m'accuse de transporter de la drogue et on vide mes valises. Ensuite, on soutient que je transporte de faux billets de banque américains. On compte mon argent. Le colonel échappe évidemment quelques-uns de ces billets par terre et comme toujours, je les ramasse. On nous interroge et, finalement, on nous laisse partir. Par chance, le chauffeur du car a eu la patience de nous attendre et on repart. L'autre touriste, un Français, a été moins chanceux, il s'est fait soutirer trois cents euros.

L'autre incident s'est passé au centre-ville de La Paz. Je marche tranquillement sur une rue très achalandée et, tout à coup, alors que j'attends à un feu de circulation, un Bolivien me tape sur l'épaule et me dit qu'il y a plein de crème dégueulasse sur mon sac à dos. En bon samaritain, il m'offre de m'aider à nettoyer cela. « *No signor, gratias* ! » que je lui réponds. Je connais le truc. D'abord, c'est lui qui m'a aspergé de cette cochonnerie, ensuite, il est acoquiné avec un ou des complices à proximité qui sont prêts à s'envoler avec mon sac dès que je le dépose par terre. Je reste calme et poli et je garde mon sac bien attaché sur mon dos. Généralement, ça ne va pas plus loin et l'intrus s'en va. C'est ce qui est encore arrivé cette fois-là et je suis retourné à l'auberge pour faire un petit nettoyage de mon sac qui en avait bien besoin. Il n'y a rien là pour en parler à sa mère…

Mon trek du côté de la Bolivie est encore plus intéressant que du côté du Pérou. Je trouve le chemin des Incas moins touristique et plus pittoresque. Je suis à Potosi, à quatre mille mètres d'altitude. C'est une des villes les plus hautes du monde. Construite au pied du Cerro Rico (montagne riche), Potosí a été fondée en 1545 pour exploiter la mine d'argent. La ville fut au XVIe siècle la deuxième ville la plus peuplée d'Amérique et la plus riche, mais à quel prix? Des millions d'Indiens sont morts à cause de problèmes respiratoires causés par la poussière dans les mines. De nos jours, les mines sont toujours exploitées par les habitants de la ville. Il y a des agences locales qui proposent aux touristes une visite organisée de la mine. Je décide de le faire, mais de mon propre chef, sans l'aide d'un guide.

Il y a plusieurs sentiers qui partent de la ville et qui montent vers les galeries de la mine. Avec mon sac à dos, un peu de nourriture et plusieurs bouteilles d'eau, j'entreprends la montée de la montagne en espérant trouver le bon sentier qui m'amènera à la galerie de la mine toujours en exploitation. Mon GPS naturel m'amène presque directement à un endroit où je peux voir des mineurs sortir de la mine. Je surveille les environs quand, tout à coup, j'aperçois quatre jeunes hommes sortir de la mine et se diriger droit sur moi. Ma première impression est qu'ils veulent m'informer que je ne peux aller plus près du gisement et que ce n'est pas un bon endroit pour jouer au touriste. Mais à voir la tête qu'ils font, j'ai plutôt l'impression qu'ils trament quelque chose de *pas catholique*. Il est trop tard pour m'enfuir. J'ai cinq mille dollars US cachés sous mes vêtements. Ce n'était pas ma meilleure idée de me balader en montagne avec ce trésor. M'enfin…

Rendus à ma hauteur, les jeunes se mettent à hurler et foncent sur moi. Je les regarde avec l'air de dire: « Arrêtez votre blague, ce n'est pas drôle. » Ils s'arrêtent net et partent à rire, ils semblent tellement contents de m'avoir foutu une bonne frousse! Puis utilisant le même sentier d'où je suis venu, ils descendent au village. De mon côté, je continue mon chemin en pensant que ces garçons gagnent deux dollars par jour en travaillant dans la mine. S'ils avaient décidé de me faire les poches, ils auraient pu, tous les quatre, prendre une… bonne retraite anticipée !

À cent cinquante kilomètres au sud-ouest de Potosí, on arrive à la porte du plus grand désert salé du monde, le Salar d'Uyuni. Dès mon arrivée, je me mets à la recherche d'une agence qui peut organiser toute la logistique d'une expédition de quatre jours dans le désert, dont la destination finale est San Pedro d'Atacama au Chili. Finalement, je rencontre par hasard un Bolivien propriétaire d'un véhicule tout terrain. Il me fait un prix que je pense raisonnable. Il ne me reste qu'à chercher des partenaires pour partager les frais de l'expédition. Je trouve rapidement une jeune Japonaise prête à embarquer à condition de trouver deux autres volontaires. Quelques heures plus tard, je trouve un jeune couple d'Espagnols, très sympathiques, cherchant eux aussi des partenaires. L'entente est conclue et le départ est fixé au lendemain matin.

Uyuni est situé à une altitude de trois mille six cent soixante-dix mètres et à l'époque de mon passage en novembre 2004, l'agglomération ressemblait à un village de cowboys. Elle est le point de départ d'expéditions d'un à cinq jours dans le désert. Les circuits se font sur des pistes en terre battue. Il ne faut pas s'aventurer dans ce désert blanc sans verres fumés. La réverbération des rayons du soleil sur la surface de sel est insoutenable pour les yeux. Plusieurs petites auberges établies sur le parcours accueillent les touristes. La plus originale est bâtie complètement avec des blocs de sel. Les murs, les sièges, et même la table de la salle à manger, sont faits avec le sel. Cette auberge est située dans un endroit surréaliste que l'on pourrait qualifier d'une île au milieu du désert et elle sert de relais routier aux touristes avant qu'ils s'engagent dans le désert d'Atacama.

Ce dernier offre des paysages uniques allant de volcans frôlant les six mille mètres, de geysers et de lagunes d'eau turquoise où j'ai pu admirer des flamants roses. On raconte que c'est dans ce désert « extraterrestre » que la NASA a testé de petits véhicules pouvant être utilisés sur la lune. Cet endroit est la région la plus sèche au monde. Il ne pleut pratiquement jamais dans cet endroit où la température peut atteindre vingt-cinq degrés Celsius le jour, et moins cinq degrés la nuit. Je me souviens qu'un matin vers 7 h, notre véhicule s'arrête près d'un étang et là, notre guide-chauffeur nous invite à enfiler nos maillots puisque nous allons nous baigner ! La température, à ce moment-là, est seulement de huit degrés. Voyant notre hésitation, il s'empresse d'ajouter que la température de l'eau dans l'étang est de trente-huit degrés. Quelle merveilleuse sensation que d'être dans un SPA au cœur d'un désert lunaire dont l'horizon est une cime enneigée ! Ahurissant ! Il faut que je me pince pour le croire. Il y a dans le désert d'Atacama quelques oasis avec de petites auberges très rudimentaires pour accueillir les touristes qui osent s'aventurer dans une région aussi aride.

L'Argentine

Sur une carte du monde, le Chili ressemble à un serpent. À partir de la capitale, Santiago, je descends la route Panaméricaine jusqu'à Puerto Montt là où la route s'arrête. Pour se rendre en Terre de Feu, il faut soit prendre un bateau soit traverser la cordillère des Andes pour aller en Argentine. Je décide d'aller en Argentine par l'autobus. Quel périple extraordinaire que de traverser cette chaîne de montagnes ! J'arrive à San Carlos de Bariloche, surnommée la Suisse argentine à cause de ses paysages de montagnes, ses fabriques de chocolat, et sa station de sports d'hiver. J'ai une chambre avec vue sur le majestueux lac Nahuel Huapi. En fait, j'ai plus l'impression d'être à Banff, dans l'Ouest canadien, qu'en Argentine.

De Bariloche, je vais voir le glacier Perito Moreno sur le lac Argentin, en Patagonie. Avec ses cinq mille mètres de front et soixante mètres de hauteur, c'est le plus gros glacier du monde. J'ai le souvenir d'avoir fait une petite croisière sur le lac afin de photographier des icebergs. La scène est phénoménale, nous nous approchons à quelques mètres seulement des glaces qui prennent des couleurs différentes selon l'heure du jour. C'est un des rares glaciers sur la planète qui n'est pas en régression.

À partir de la ville d'El Calafate, qui est la porte d'accès du parc national Los Glaciares où se trouve le Perito Moreno, je prends un bus pour me rendre en Terre de Feu, en empruntant la fameuse et unique Ruta 3, la route la plus australe au monde. Je suis dans ce qu'on appelle un *bus cama*. Puisque ces autobus font de longs trajets, les sièges sont faits de façon à se transformer en lit. Je suis au deuxième étage et j'ai la chance d'être assis dans le premier siège avant de l'autobus. C'est comme si j'étais au cinéma Imax. Le paysage s'ouvre devant moi en 3 D. Après avoir traversé le détroit de Magellan pour se rendre jusqu'en Terre de Feu, notre véhicule doit à quelques occasions traverser du côté du Chili puisqu'il n'y a plus de route du côté argentin. C'est un peu de tracasseries avec les fouilles aux douanes, mais rien pour en parler à sa mère ! Après quinze heures de route, j'arrive *Au bout du monde*. En effet, de grands panneaux en bordure de route annoncent aux voyageurs qu'ils arrivent au bout de la terre, la ville d'Ushuaïa, la dernière ville du globe terrestre avant l'Antarctique. C'est dans cette ville que se termine « la route Panaméricaine » longue de quarante-huit mille kilomètres.

La ville fut fondée en 1884 au fond de la baie d'Ushuaïa. Au début du XXe siècle, elle se développa autour d'une prison, en fait c'était l'équivalent du goulag soviétique : s'échapper d'une prison sur une île aussi isolée est pratiquement impossible. Les prisonniers devinrent, à leurs sorties du bagne, des colons et leurs principales activités étaient de... construire une ville. Le bagne est devenu un musée intéressant à visiter. La ville est bâtie au pied du mont Martial et je ne pouvais pas résister à son appel. Un matin, je décide de partir seul, sans guide, faire une balade en montagne. La montagne c'est comme la baignade, il n'est jamais recommandé d'y aller seul. M'enfin, je n'irai pas tellement haut, me dis-je. Le temps passe et je monte, je monte ! Je suis dans une forme incroyable et je continue à monter.

Au bas d'une montagne, il y a, règle générale, la forêt, puis, plus haut, des herbages. Ensuite viennent les lichens et la mousse. Finalement, à une certaine hauteur, on arrive à des surfaces de terre ou de roc. Puis, selon les endroits, à la neige. Au moment où je vois la neige, je me dis qu'il serait plus prudent de redescendre, mais, en me retournant, je vois au loin des gens qui grimpent dans ma direction. Cela me rassure et je décide de continuer la montée. Une fois rendu sur la cime, le paysage de la vallée de l'autre côté est à couper le souffle ! Je vois au loin, marchant dans la neige, un troupeau de *guanacos*, une très belle bête qui ressemble à un lama. La population totale des *guanacos* est aujourd'hui estimée à un demi-million d'individus, alors qu'ils étaient cinquante millions en 1800. Quelle catastrophe !

Je regarde en arrière et je vois qu'il reste encore deux autres personnes venant dans ma direction, mais elles sont encore assez loin. Je remarque un pic rocheux pas tellement éloigné et je décide de l'escalader en attendant que les autres montagnards arrivent. Finalement, quand ils arrivent sur la cime, là où j'étais quelques minutes plus tôt, je descends les rejoindre. C'est un couple d'Allemands. La dame, tout étonnée de me voir, me demande en riant mon âge. « À vous voir galoper au loin devant nous, je croyais que vous étiez un tout jeune homme. » « Mais je suis un jeune homme de cinquante ans ! » que je lui réponds.

Aujourd'hui, Ushuaïa est la capitale de la province de Terre de Feu, et toute l'économie dépend du tourisme. À partir d'Ushuaïa, je pars en bateau afin d'aller dans le canal Beagle pour voir les cormorans, les manchots et les lions de mer qui vivent sur les îles des alentours. Eh bien ! Voilà, je suis bien loin du Faubourg à m'lasse de Montréal ! Je suis au bout du monde.

Chapitre 22

Inde, avril 2003, cinquante-cinq ans

En Inde pour la dixième fois

Je débarque à l'aéroport international Indira-Gandhi à Delhi. Le douanier examine mon passeport tout en poursuivant sa conversation avec un collègue. Il y a tellement de tampons dans mon passeport qu'il n'arrive pas à trouver une place pour le sien. Même si j'ai un passeport double page, après trois tours du monde, il ne reste pas beaucoup de pages disponibles pour estampiller. Jamais je n'aurais imaginé visiter ce pays, encore moins le faire plus d'une fois. Se rendant compte que c'est mon dixième voyage en Inde, le douanier lève les yeux sur moi et me demande ce que je fais dans la vie.

La réponse est toujours la même: «*Retired.*» «Oui, mais avant d'être *retired*?» Je ne mentionne jamais que j'ai été propriétaire de bar, mais plutôt professeur. «Professeur de quoi?» me demande-t-il. «Professeur d'histoire.» Il est tellement fier de voir un prof d'histoire à la retraite visiter dix fois son pays qu'il demande à son collègue de nous prendre en photo. Après, c'est en compagnie du collègue, ensuite, avec l'ami du collègue; bref, j'ai l'air d'une vedette de Bollywood, l'industrie cinématographique indienne, qui revient à la maison.

Sitôt passées les douanes, je dois traverser les portes de l'enfer. Des centaines pour ne pas dire des milliers d'Indiens se précipitent sur moi comme une meute de loups sur leur proie. Comme je connais le monde indien, d'un air décidé, mon sac à dos bien accroché, je fonce dans le tas. On m'offre une chambre d'hôtel *very chip price*, deux chauffeurs de taxi se battent pour avoir la chance de m'approcher et deux adolescents veulent me servir de guides-interprètes. D'un pas rapide, j'arrive finalement à l'extérieur, c'est la nuit, il fait chaud et la senteur me prend au nez.

Bienvenue en Inde. Je trouve finalement le gamin avec l'écriteau *Mister Leclercq*, et il me conduit à la voiture. En raccordant des fils, le chauffeur fait démarrer la vielle Ambassador qui compte presque un million de kilomètres. Les voitures étant stationnées pare-chocs contre pare-chocs, le chauffeur frappe sans ménagement la voiture avant, recule et frappe la voiture arrière et recommence son petit manège jusqu'à ce qu'il arrive par un miracle indien à sortir la voiture de sa prison. Sur le trajet de l'aéroport jusqu'à mon hôtel dans Connaught Place, au centre-ville de Delhi, il y a des vaches qui cherchent dans les poubelles de quoi se nourrir, des gens qui dorment sur ce qui ressemble à des trottoirs et, à noter, les feux de circulation ne fonctionnent pas la nuit.

Arrivé à mon petit hôtel, plutôt un gîte, avec deux heures de retard, on ne m'attend plus depuis longtemps. Les portes sont solidement verrouillées et grillagées. Pendant que le chauffeur attend son pourboire, je cogne dans les grilles, je frappe à coups de pieds, car pas question de passer la nuit en compagnie des rats et des clochards. Des voisins, réveillés par le tapage, viendront à mon aide, ils sont tellement serviables les Indiens. On me fera passer par un petit passage qui sert à sortir les vidanges et arrivé dans la cour arrière, comme la porte n'est pas verrouillée, je m'introduis comme un voleur dans l'hôtel, je réveille le préposé à l'accueil qui dort par terre derrière son comptoir et, tout endormi qu'il est, ce dernier me reconduit à mon alcôve, sans fenêtres et sans salle de bain. Après vingt heures de vol, je m'endors comme un bébé dans les bras de sa mère. Demain sera une autre aventure parce qu'en Inde, tous les jours constituent une aventure. C'est ça, « le miracle indien ».

Dans le taxi qui me conduit de l'hôtel à la gare, je suis toujours étonné de voir des gens en si grand nombre dans les rues. Il faut dire que l'Inde a la densité de population la plus élevée au monde, soit trois cent cinq habitants au kilomètre carré. Au Canada, on trouve seulement trois habitants dans le même espace. La voiture, tout en klaxonnant, avance à peine à quinze kilomètres heure. La foule s'entrouvre et se referme derrière elle.

Aux arrêts obligatoires, les mendiants cognent aux vitres de la voiture dans l'espoir de recevoir quelques roupies pour manger. Des mères au corps squelettique avec des bébés dans les bras, de jeunes enfants, des handicapés, enfin il me semble que tous les quêteux du monde se sont donné rendez-vous sur cette même rue de Delhi. Je devrai vivre avec ça pendant tout mon séjour en Inde. C'est ce qu'on appelle le choc culturel.

En Inde, comme dans plusieurs pays, je ne donne pas d'argent aux mendiants, parce que je sais pertinemment que l'argent ira dans les poches de « la mafia des mendiants ».

En marchand dans les rues de la ville, je croise une voiture Mercedes, un éléphant, un tricycle, un chameau, un *tuk-tuk*, une bicyclette, un cyclo-pousse et, finalement, une vache. Comme tout le monde le sait, selon la religion hindoue, la vache est sacrée. De ces ruminants, il y en a partout, dans les rues bien sûr, dans les parterres, dans les jardins et parfois même dans les maisons. Mais il ne faut pas croire qu'il n'y a que des côtés négatifs à ces envahisseurs. En Inde, le combustible le plus populaire et le moins cher provient de la bouse de vache. Partout sur le toit des maisons et parfois le long du chemin, je vois sécher au soleil des petits tas qui serviront bientôt de combustible pour faire la cuisson.

Me voilà enfin à la gare de chemin de fer, je dois acheter un billet pour Simla, une très jolie petite ville nichée au pied de l'Himalaya. J'ai lu dans mon guide de voyage, le *Lonely*

Planet, qu'il y a un guichet expressément pour les touristes au deuxième étage de la gare. Je cours, je suis pressé, et, au moment de prendre l'escalier, un jeune garçon de douze ou treize ans m'arrête et me dit que le guichet est fermé pour rénovation, et que le bureau du tourisme est présentement de l'autre côté de la rue. Sans trop réfléchir et bousculé par le temps, je traverse la rue accompagné du garçon, j'entre en trombe dans un bureau pour m'apercevoir que je suis tombé dans une arnaque. Ce n'est pas un bureau du gouvernement indien, et le prix du billet est exorbitant. En Inde, on utilise très souvent les enfants pour arnaquer les touristes et justement parce que c'était un enfant, je ne me suis pas méfié. M'enfin, moi, qui croyais après dix voyages tout connaître de ce pays… !

Inde, mai 2003, cinquante-cinq ans

Je quitte Delhi par autobus pour me rendre à Varanasi, la ville sacrée des hindous. Trouver le bon autobus pour se rendre à la bonne destination, n'est pas chose facile ! Mais trouver le bon chauffeur relève du miracle ! Le problème, c'est que le travail de ces gens n'est pas réglementé. Il en résulte que la plupart d'entre eux passent trop d'heures derrière le volant. Ajouter à ces conditions de travail déficientes le mauvais état des véhicules, les pneus, les freins, etc. Bref, j'ai tellement vu d'accidents d'autocar dans des pays comme l'Inde, le Népal ou l'Amérique du Sud que j'ai pris l'habitude de m'asseoir près de la porte avant et de surveiller le conducteur.

Comme c'est souvent le cas, je fais un trajet de nuit. Après quelques heures sur la route, le conducteur montre déjà des signes de fatigue. Je remarque qu'il s'humecte plus fréquemment le visage avec un linge mouillé. Ses réflexes ne sont plus aussi rapides et le véhicule commence à dévier de sa route pour frôler les lignes blanches d'un côté comme de l'autre. En fait, notre conducteur cogne des clous. Au moment où l'on s'approche d'un précipice, je lâche un cri dans l'autobus : « Arrêtez, cet homme va nous tuer ! » Les passagers, pour la plupart des Indiens, se réveillent, le conducteur aussi, heureusement. Des passagers parlant l'hindi l'obligent à s'arrêter dans un *truck-stop* où il se couche sur un grabat le temps de récupérer quelques heures de sommeil, ce que je fais moi aussi. Ouf, on l'a échappé belle!

Je ne connais personne qui peut effacer de sa mémoire un séjour à Varanasi en Inde. C'est une ville de la province de l'Uttar Pradesh. Elle est située sur la rive du fleuve sacré, le Gange. C'est la ville sainte par excellence de l'hindouisme. Elle est surtout célèbre pour ses *ghats*, ces marches de pierres qui permettent aux dévots hindous de descendre au fleuve pour y pratiquer leurs ablutions. Le bain dans le Gange est censé purifier de tous les péchés. C'est aussi sur des *ghats* spéciaux que l'on pratique les crémations. Vous imaginez les odeurs de la chair incinérée…

Selon la coutume, seuls les membres de la famille ont le droit d'assister à la crémation. Bien entendu, je ne pouvais quitter cette ville célèbre sans avoir assisté à cette cérémonie. Je voulais m'imprégner de ce rituel bien particulier. Les agents chargés de la sécurité m'ont chassé à plusieurs reprises, mais finalement grâce à quelques roupies, j'ai rendu un de ces agents plus compréhensif à mon égard et il a fait semblant de ne pas me voir pendant une demi-journée. De l'endroit où j'étais «caché», je surplombais directement le *ghat* et on venait placer les cadavres presque à mes pieds.

Le corps du défunt est emmailloté dans un linceul, blanc, s'il s'agit d'un homme, rouge, s'il s'agit d'une femme, jaune doré, s'il s'agit d'une personne âgée. La tradition veut que le fils aîné allume lui-même le bûcher funéraire de ses parents, faute de quoi, leur âme est condamnée à l'errance sans jamais trouver le repos éternel ou nirvana. À cause de cette coutume, il est facile de comprendre pourquoi les familles indiennes veulent un fils comme premier-né. Si ce n'est pas possible, la famille demande à un *sahdu*, un homme saint, d'accomplir le rituel de la crémation. Dans certaines familles traditionnelles et certaines castes, les veuves portent le sari blanc et l'on s'attend à ce qu'elles se consacrent par la suite à une vie d'austérité. Indira Gandhi était veuve quand elle fut nommée première ministre du pays.

En Inde, jusqu'au XVIIIe siècle, les épouses appartenant à certaines castes supérieures avaient l'obligation de partager le bûcher funéraire de leur mari ; selon la légende, elles ne devaient ressentir aucune souffrance si elles avaient été de bonnes épouses. Ce sont les Britanniques lors de la colonisation de l'Inde qui ont aboli cette coutume barbare. M'enfin, je ne comprends pas pourquoi les « bons » époux n'avaient pas la même obligation en cas de décès de leurs épouses. Peut-être étaient-ils moins croyants ?

Chapitre 23

Estrie, juillet 2003, cinquante-cinq ans

Un séjour chez Raël

Au hasard d'une rencontre avec une vieille connaissance, je reçois une invitation de me joindre au mouvement raëlien. Dans un premier temps, je refuse, mais quand cet ami m'offre de faire un stage d'été au camp raëlien en Estrie, je décide de tenter l'expérience qui doit se dérouler sur une période de deux semaines. Je suis d'une curiosité sans limites et j'aime me renseigner sur toutes les religions et croyances ; alors je vais ajouter Raël à mon C.V.

Raël, de son vrai nom Claude Vorilhon, est né à Vichy en France. Il est le fondateur du mouvement raëlien considéré en France comme une secte. Claude Vorilhon fut auparavant chanteur à la petite semaine et scribe sportif automobile. Dans les deux cas, il n'était pas très bon, manière polie de dire un raté. Il affirme avoir vécu deux expériences avec des extraterrestres, deux rencontres qui deviennent les fondements de son idéologie. Claude Vorilhon prétend avoir fait connaissance avec un extraterrestre qui lui aurait donné le nom de « Raël », signifiant le messager. Il lui aurait également expliqué l'origine de la vie sur la terre. Ce message a alimenté le contenu du premier livre de Raël, *Le livre qui dit la vérité*. L'année suivante, Claude Vorilhon décide de se consacrer à la promotion de ce message et à planifier la construction d'une ambassade[1]

1. Note de l'éditeur : une ambassade toujours à l'étape de la planification !

destinée à accueillir les extraterrestres. Raël prône aussi une certaine forme de libération sexuelle, se vantant lui-même d'avoir plusieurs partenaires sexuelles.

J'ai souvenir de mon arrivée au camp raëlien avec tout mon équipement de camping : l'endroit est magnifique, en pleine nature, et la sécurité est très visible à l'entrée. Ma première impression en est une de chaleur humaine. Tous m'accueillent à bras ouverts et me font l'accolade et la bise, comme à un vieux copain qu'on n'a pas vu depuis des années ; et pourtant, personne ne me connait ! Une seule chose semble leur importer, si vous êtes du groupe, vous êtes soit leur sœur ou leur frère soit leur nouvelle famille ! À peine ai-je ouvert le coffre de ma voiture que des participants viennent m'aider à monter ma tente. Bref, c'est comme arriver dans une grande colonie de vacances pour adultes. Mais attendez de lire la suite…

À 9 h le matin, tous les participants sont convoqués à une réunion présidée par le gourou lui-même. Son entrée sur la tribune est tellement théâtrale qu'on est à la limite du ridicule. En fait, on se croirait dans un film de série B : Raël apparaît sur scène tout de blanc vêtu avec un immense médaillon en or au cou. Il est accompagné de ses « anges » avec des ailes blanches. Les « anges » sont des femmes dont le physique est un critère des plus importants aux yeux du maître. Elles sont censées être à son service exclusif en veillant en tout point à son confort. Bref, elles doivent s'occuper exclusivement des besoins et du bien-être de « l'Être supérieur ».

Je ne connais pas un seul chrétien qui refuserait un tel (!) traitement.

Au cours de ces réunions matinales, on discute de tout et de rien : la religion, surtout catholique, la violence, l'homosexualité ; des hommes montent sur la tribune et s'embrassent, des femmes font de même. Le maître des lieux parle de clonage, de libération sexuelle et, bien sûr, du retour des « Élohim, créateurs de l'humanité ». Dans l'assistance, les raëliens en stage s'abreuvent littéralement de ses paroles et de ses enseignements. Il m'est arrivé souvent de quitter la salle en pleine séance, mon cerveau n'en pouvant plus de constater la crédulité des gens qui approuvent du bonnet des conneries semblables. À un moment donné, Raël se désigne lui-même le demi-frère de Jésus. Trop, c'est trop. Mais il vaut mieux en rire.

On se fait beaucoup d'amis(es) dans ce genre de rassemblement et j'avais souvent des discussions avec une jeune dame venant de l'Ontario, qui parlait parfaitement le français. Un jour, à la fin d'une réunion, je décide de tester sa naïveté. Comme plusieurs campeurs, j'ai une lampe frontale miniature munie d'une lumière stroboscopique. Cette lampe est tellement menue que je peux l'attacher comme un bracelet à mon poignet. Alors, j'entraîne la jeune femme à l'extérieur du groupe et sur un air de confidentialité, je lui murmure à l'oreille : « Tu ne me croiras pas, mais ils sont venus me voir ! » « Qui ? Où ? » qu'elle me demande. « Les extraterrestres ! Viens, je vais te montrer quelque chose. » Et là, je l'entraîne un peu plus à l'écart dans un petit boisé. « Si tu me promets de ne jamais dévoiler mon secret, je vais te montrer ce qu'ils m'ont remis. »

Après m'avoir *juré craché* sur la tête de Raël lui-même qu'elle ne va jamais dévoiler mon secret, je relève ma manche de chemise laissant voir le bidule et j'allume le stroboscope : « Tu vois, c'est le signal. Dès que j'aurai le désir de les revoir, je n'aurai qu'à déclencher ce signal la nuit et, tout comme hier soir, ils reviendront. »

« Est-ce que je peux t'accompagner ? » qu'elle me demande le plus sérieusement du monde. Cette dame, dont je vais taire le nom pour ne pas l'humilier, occupait par ailleurs un poste très important de direction dans une entreprise de Toronto. Si jamais elle lit ce livre, elle se reconnaîtra sûrement.

Je suis persuadé qu'elle a tenu son serment (!) de ne jamais dévoiler mon secret.

La cotisation au mouvement raëlien est théoriquement volontaire. Toutefois, il est «recommandé» de donner trois pour cent de son salaire après impôt, et ceux qui souhaitent devenir guides ou prêtres sont invités à payer une cotisation annuelle supplémentaire de l'ordre de sept pour cent de leurs revenus annuels.

Outre les cotisations de base, le mouvement raëlien encourage vivement les «dons» supplémentaires de la part de ses membres. Pour mieux les convaincre à cet égard, il n'hésite pas à afficher publiquement le palmarès comparatif des meilleurs donateurs du mouvement. Ne reculant devant rien, Raël recommande fortement aux membres actifs que leur testament soit au bénéfice du mouvement raëlien. Rien de moins!

Dans son livre, Jean-Denis Saint-Cyr, ex-bras droit de Raël, raconte: «En ma présence, près du stationnement du terrain de camping, en stage d'été, Raël demanda au trésorier du mouvement raëlien, Réjean Proulx, de lui virer deux mille dollars pour ses dépenses personnelles et de restaurants… Il lui a précisé de les retirer spécifiquement du fonds du mouvement raëlien canadien, et non pas de son fonds personnel de guide suprême. Réjean, le trésorier, le lui a fait répéter pour en être sûr, puis il lui confirma textuellement qu'il en serait fait ainsi. Or, il est écrit noir sur blanc dans ses livres qu'il ne prenait ni ne prendrait jamais un sou du mouvement proprement dit, cet argent servant à la diffusion de ses messages et qu'il existait un fonds pour le guide des guides qui correspondait à cet effet à un pour cent du salaire des membres. Il venait de passer outre à ses propres règles devant témoin.»

Jean-Denis était abasourdi et en total désaccord disant, lorsque Raël fut parti, que cela était une procédure irrégulière et qu'il avait été témoin d'autres irrégularités auparavant.

Quelques jours avant la fin de mon stage, prétextant un engagement, je quitte le terrain de camping. L'expérience fut très enrichissante et j'ai beaucoup appris sur la nature humaine. J'ai rencontré des gens crédules, mais tellement sympathiques. Je suis triste de constater qu'un clown profite de la naïveté d'humains pour leur escroquer de l'argent et abuser à outrance de ce que je considère comme leurs faiblesses. M'enfin, Raël n'est pas le premier, et sûrement pas le dernier, à agir de la sorte.

Quelques mois plus tard, je reçois un appel d'un adepte raëlien qui se dit « grand-prêtre ». Il veut me rencontrer afin de discuter entre amis. J'accepte son invitation afin de parfaire mes connaissances sur le mouvement. Après quelques questions d'ordre pratique, j'ai complètement démoli toutes les thèses de Raël concernant sa supposée rencontre avec les Élohim. Malgré la logique de mes arguments, je sais très bien qu'ils sont tombés dans le néant de sa croyance aveugle envers Raël et ses prétendus Élohim.

La foi religieuse n'est pas une question de croyance, mais bien une question d'ignorance !

Ce qui m'amène à raconter une anecdote : Un jour, dans un pays musulman, je suis invité à souper dans une famille très à l'aise financièrement et très pratiquante. Lors de ce souper, une discussion s'engage sur un article du Coran. Les personnes présentes, toutes musulmanes, me contredisent sur les propos que j'avance et qui sont puisés dans le Coran. Alors, je demande à tour de rôle, aux personnes présentes :

« Avez-vous lu le Coran ? » Tous m'avouent, à contrecœur, qu'ils n'ont pas lu le Coran. Je suis donc la seule personne dans la pièce à l'avoir consulté. À leur grand étonnement, je leur dis d'aller voir dans le Coran la sourate numéro IV, verset numéro 34, qui confirme ce que j'avance. En fait, il n'y a rien d'étonnant dans cette histoire. Quels sont ceux d'entre nous qui ont lu la Bible ? J'écrivais au début de ce chapitre que j'aime me renseigner sur toutes les religions et sur toutes les croyances. Ma bibliothèque regorge de livres qui traitent de ce sujet.

Dès qu'il est question de religion de croyance et de foi, l'être humain perd tout sens critique.

Dans son livre *Dieu, l'Amérique et le monde*, Madeleine Albright, l'ancienne secrétaire d'État sous Bill Clinton, raconte qu'elle arrivait toujours, malgré les hurlements de part et d'autre, à un compromis entre Palestiniens et Israéliens. Tout était négociable, ajoutant : « Les discussions perdent cependant toute chance d'aboutir si les arguments avancés des deux côtés relativement au droit de leurs positions respectives sont fondés non pas sur la base de lois humaines et de la jurisprudence, mais sur la base des promesses et des intentions de Dieu. »

Se pourrait-il que la « Terre promise » ait été promise à plusieurs reprises et à plusieurs peuples ?

Chapitre 24

Dharamshala en Inde, août 2003, cinquante-cinq ans

De l'Inde vers le Tibet

Dharamshala est une ville du nord de l'Inde, située dans l'état de l'Himachal Pradesh. Elle est parfois appelée la petite Lhassa, car elle est la terre d'accueil du quatorzième dalaï-lama, Tenzin Gyatso. Comme mentionné précédemment, je suis un homme plutôt campagnard, alors c'est un véritable bonheur pour moi de trouver autour de la ville de nombreuses forêts dont l'espèce prédominante est le cèdre de l'Himalaya.

À la suite de l'intervention militaire chinoise de 1950-1951 au Tibet, plusieurs milliers de réfugiés tibétains se sont établis dans la ville de Dharamshala et sa ville sœur, McLeod Ganj, pour échapper aux persécutions religieuses et politiques liées à l'occupation. Quand, en 1959, le dalaï-lama quitta le Tibet, le premier ministre indien de l'époque, Jawaharlal Nehru, l'autorisa ainsi que ses proches à former un gouvernement tibétain en exil à Dharamshala. Depuis, tous les ans, plusieurs Tibétains fuient leur pays à travers les montagnes de l'Himalaya pour arriver soit au Népal soit en Inde. En fait, quand je suis arrivé à Dharamsala, je me croyais arrivé à Lhassa tellement on y rencontre de Tibétains et peu d'Indiens. La ville est devenue une destination touristique importante, avec de nombreux hôtels, auberges et restaurants. J'ai remarqué que tous les commerces, ou presque, appartiennent aux Tibétains; même la voiture taxi que j'ai utilisée appartenait à un Tibétain. Ce déséquilibre n'est pas sans créer des tensions avec les habitants originaires de ces deux villes. Ils voient arriver les Tibétains comme des envahisseurs. J'ai été témoin de plusieurs bagarres de rue entre Tibétains et Indiens, une situation que je n'ai jamais vue ailleurs en Inde.

Ce qui est triste dans cette histoire, c'est que les Tibétains qui s'établissent à Dharamsala, en Inde, servent le même traitement aux Indiens que ce dont ces mêmes Tibétains se plaignent de la part des Chinois dans leur ville de Lhassa.

En effet, selon le gouvernement tibétain en exil à Dharamsala, la migration des Chinois au Tibet se serait concentrée dans les villes où les Tibétains sont devenus une minorité, et où les Chinois dominent l'emploi, aggravant l'exclusion économique des Tibétains.

M'enfin, l'être humain est une bibitte bizarre qui, de par sa nature, a une forte tendance à dénoncer les injustices qui lui sont faites alors qu'il est incapable de voir l'injustice qu'il fait à l'autre.

Je considère que j'ai une très bonne santé, j'ai de l'énergie à revendre et un bon système immunitaire. Probablement parce que j'aime manger dans tous les petits restos familiaux plutôt que les restaurants pour touristes que je rencontre sur ma route. Ma flore intestinale ainsi que mon système digestif se sont habitués à des conditions d'hygiène plutôt douteuses de type vaisselle lavée dans un ruisseau, verres non désinfectés, etc. Boire de l'eau des rivières n'est rien non plus pour vous protéger d'une diarrhée ou d'une gastro-entérite. Mais paradoxalement, quand je voyage avec des amis, ce sont eux qui attrapent ce genre de malaises et non pas moi. C'est ce qui est arrivé lors de mon séjour à Dharamsala.

Jocelyne, une amie qui m'accompagnait, ne va pas bien depuis quelques jours. Elle se plaint de maux de ventre, mais elle refuse de consulter un médecin. Sa perception est qu'il n'existe pas de bons médecins en Inde. Mais voilà qu'elle finit par aller tellement mal qu'elle ne peut même plus se tenir sur ses jambes. Je demande à la réception de l'hôtel d'appeler une voiture taxi afin de nous conduire chez un médecin. J'apprends avec bonheur qu'il y a un hôpital tibétain à quelques kilomètres de notre hôtel. Aussitôt arrivé dans l'entrée de l'hôpital, je cours chercher une civière. Il n'y en a pas. Un fauteuil roulant? Non plus. Je retourne à la voiture, je prends mon amie dans mes bras et je la dépose inconsciente sur le plancher. Le médecin arrive, un grand homme dans la trentaine, Américain, je crois. Il porte une longue barbe blonde qu'il n'a pas lavée depuis longtemps, son sarrau qui a déjà été vert est sale et son jean, malpropre lui aussi, est déchiré; vous voyez le portrait!

Une préposée aux malades arrive finalement avec une civière où l'on couche Jocelyne. Je tente d'expliquer tant bien que mal le problème au médecin. Bien calmement, il demande au personnel infirmier de faire une série d'analyses nécessaires et de transporter la patiente dans une chambre en observation. Comme Jocelyne ne parle pas l'anglais, je dois donc être à ses côtés constamment comme interprète. Quelques heures plus tard, elle va de mal en pis. On lui installe un soluté. Durant la nuit, la fièvre grimpe, maintenant elle délire. Le médecin revient dans la chambre, toujours imperturbable. Quant à moi, j'éclate finalement en sanglots: j'ai peur qu'on la perde. Au petit matin, je n'en peux plus, je sors de la chambre pour me promener dans le couloir. Venant d'une pièce éloignée, j'entends des moines tibétains réciter des mantras ce qui a pour effet de me calmer. On m'a raconté plus tard, que les moines priaient pour la seule étrangère qui était dans l'hôpital, Jocelyne.

De retour à la chambre, le médecin me rassure. Il vient de recevoir les résultats des analyses et Jocelyne fait une sévère gastro-entérite. Elle devra rester en observation encore quelques heures et sous les bons soins de ce médecin aux allures un peu douteuses, mais très compétent. Comme quoi il ne faut jamais se fier aux apparences. Elle sera sur pied vingt-quatre heures plus tard. Avant de quitter l'hôpital, nous passons à la caisse afin de payer les médicaments et les soins hospitaliers de la patiente. On nous présente une astronomique facture de… dix dollars. Le médecin conseille fortement à Jocelyne de s'abstenir désormais de boire du *chaï* (thé indien). En fait, depuis deux semaines que nous parcourons l'Inde, Jocelyne avait tellement pris le goût au *chaï* que cela l'a rendue malade.

Chapitre 25

Décembre 2003, cinquante-cinq ans

Le Maroc, l'Atlas et le Sahara

En décembre 2003, c'est mon premier voyage au Maroc. Dès le début de mes contacts avec les gens, je sens que je vais aimer ce pays. La majorité des Marocains parlent bien le français, ce qui facilite les contacts. En fait, il y a trois langues officielles au Maroc, la langue arabe, le français et le berbère.

Le Maroc est un pays musulman, dirigé par le roi Mohamed Vl, qui a succédé à son père Hassan II, qui, lui, a succédé à son père Mohamed V; vous voyez le portrait. Le roi du Maroc, comme tous les rois des pays musulmans, se définit comme le « commandeur » des croyants. Dans les faits, ces rois se disent califes[1]. Ils seraient selon eux, les dignes successeurs de Mahomet. Dans tous ces pays, il n'est pas recommandé de critiquer publiquement le roi. Je dois avouer que selon mon analyse personnelle, le nouveau roi Mohamed Vl, est probablement le meilleur des dirigeants de tous les pays musulmans que j'ai visités. Le roi du Maroc est un homme moderne qui a changé la *Madouaana*, le code du statut de la

1. Le mot calife, signifiant successeur, était le titre porté par les successeurs de Mahomet après sa mort jusqu'à l'abolition formelle de cette fonction par Mustafa Kemal Atatürk en 1924. Le porteur du titre avait pour rôle de garder l'unité de l'islam et tout musulman lui devait obéissance, il était le dirigeant de la communauté musulmane. Aujourd'hui, ces dictateurs ne s'appellent plus califes et portent le titre de « commandeur des croyants ».

femme, en améliorant de beaucoup la situation de la femme musulmane. Désormais, une Marocaine peut se marier en toute liberté, car, depuis 2003, elle n'a plus besoin du consentement de son père. Le divorce judiciaire remplace la répudiation, et elle peut conserver la garde de ses enfants en cas de remariage. Le Maroc est loin de la démocratie occidentale, mais il faut comprendre que démocratie et islam, ça ne va pas ensemble, enfin pas encore…

Paradoxalement, malgré ces avancées, la femme musulmane semble se radicaliser: lors de mon dernier voyage au Maroc en 2012, j'ai remarqué un retour en arrière dans la mode vestimentaire. Il y a beaucoup plus de femmes qui portent le chador ou le niqab que lors de mon passage il y a dix ans. Par contre, ma rencontre avec les jeunes musulmans et musulmanes de quinze à trente ans m'a permis de constater qu'ils ne semblent pas suivre ce mouvement de radicalisation. Le jeune musulman d'aujourd'hui va à la mosquée avec ses parents, mais après la prière, il veut aller prendre une bière avec ses amis et fumer une cigarette ou le narguilé sur une terrasse. Après discussion avec les jeunes filles, elles m'ont toutes confirmé vouloir se marier vierges, c'est très important. D'ailleurs une des chirurgies les plus demandées par les femmes dans les pays musulmans, c'est de se faire recoudre l'hymen.

Je m'installe dans un petit hôtel du centre-ville de Casablanca et quelques minutes après avoir déposé mon sac à dos, je suis déjà dans les rues à explorer la ville. À part la grande mosquée Hassan II, il n'y a rien d'intéressant à voir à Casa. Le lendemain, je prends le train pour la capitale, Rabat. Comme toutes les villes marocaines, Rabat est divisée en deux parties, la vieille ville, la médina, et la ville nouvelle. Je m'arrange toujours pour trouver une petite auberge à l'intérieur de ces endroits pittoresques. Vivre dans ces endroits, c'est comme retourner au XVIe siècle. Il faut voir les mules surchargées naviguer des petites ruelles étroites, les artisans fabriquant à la main des babouches, le boulanger qui cuit son pain devant nous dans son four artisanal, les immenses étals de dattes et d'épices et, partout, des petites terrasses pour déguster un tagine de mouton.

À l'intérieur des médinas, on trouve le souk, cet immense marché où il fait bon se perdre et flâner. La ville de Fès est célèbre pour son souk qu'on dit le plus intéressant du pays. Il est divisé en plusieurs quartiers. Chaque métier a son quartier, celui des menuisiers, des chaudronniers, des forgerons, des bijoutiers, des marchands de tapis, des marchands d'épices et des tanneurs. Dans ce dernier, la senteur de teinture est tellement forte que vous avez intérêt à garder sous le nez une feuille de menthe afin d'atténuer les odeurs.

C'est dans cette ville de Fès que je fais la connaissance de Fatima, une très jolie Marocaine qui parle un français impeccable. Nous passons quelques jours ensemble. Elle est vêtue à l'Occidental avec pantalon seyant et blouse décolletée. Si ce n'était de son visage très marocain, elle pourrait passer pour une Française. Elle me raconte qu'elle a une fille de quinze ans qui, étonnamment, porte le voile. « C'est son choix ! » me dit-elle. Fatima est divorcée, mais elle ne pourrait pas se marier avec un chrétien, car sa religion le lui interdit. Il me faudrait donc me convertir à l'islam, Inch'Allah... Il faut oublier ça immédiatement, ça n'aura jamais lieu, même pour les beaux yeux d'une jolie Marocaine ! À l'hôtel, on refuse de nous louer une chambre puisque nous ne sommes pas mariés, mais le préposé m'offre de nous louer plutôt deux chambres communicantes. Quelle hypocrisie, j'en suis outré ! Il n'y aura malheureusement pas de romance au pays de Mahomet !

Par autobus, je continue mon périple au Maroc. Sur mon chemin, je rencontre des Berbères fiers de leurs racines et des Arabes, tout aussi fiers de leurs origines. Malgré les guerres que se sont livrées ces deux peuples dans le passé, la cohabitation est aujourd'hui très pacifique. Il faut se rappeler que, lors des grandes conquêtes arabes du VIIIe siècle, presque toute l'Afrique est tombée sous la domination des Arabes qui y imposèrent leur langue, l'arabe, et leur religion, l'islam. Les Berbères ont lutté farouchement, pendant des siècles, contre cette domination. Ils ont plié sous le poids des armes, mais sans jamais vraiment plier. Encore aujourd'hui, bien qu'ils soient musulmans pratiquants, les Berbères s'entêtent à conserver jalousement leur langue et leurs coutumes.

Je traverse les montagnes de l'Atlas pour arriver dans le superbe petit village d'Azrou. Le propriétaire de l'auberge où je suis attendu est un marathonien champion du monde. Dans son bureau, on remarque une photo de lui en compagnie du roi Mohamed VI. Il a accepté très gentiment de me donner une entrevue sur le sujet : comment devient-on champion olympique? Sa réponse : apprendre à souffrir ! Quelle belle rencontre ! Je vais à la rencontre des tribus Aït qui vivent au cœur de l'Atlas. Dans un petit village nommé Imilchil, il y a le *moussem* des fiancées, une fête qui permet aux jeunes filles de la tribu des Aït-Haddidou de choisir librement leurs amoureux, sans la permission de la famille.

Sur la route qui doit m'amener à Marrakech, je m'arrête dans une petite bourgade en bordure du désert, nommée Merzouga. L'aubergiste qui me reçoit m'organise une excursion à dos de dromadaire au cœur du désert. Le départ est prévu pour le lendemain matin. J'ai eu l'occasion au cours de mes nombreux voyages de traverser des déserts, le Gobi en Russie, le Tar, en Inde, le Sinaï, en Égypte, le Salar d'Uyuni, entre la Bolivie et le Chili. De tous les déserts, c'est le Sahara mon préféré ! Les plus hautes dunes au monde sont justement à Merzouga au Maroc. De la terrasse de ma chambre, je contemple cette mer de sable qui m'attire comme un aimant. Accompagnés d'un chamelier nous marchons sur les pistes du désert sans cartes et sans GPS. Nous croisons des caravanes de touristes et des voyageurs solitaires. Le soir venu, mon guide a repéré une oasis ; il semble connaître le maître des lieux, un homme âgé, vivant comme un ermite dans cet océan de sable. « Nous dormirons dans des tentes berbères », me dit mon guide. Il n'y a pas de télé ni de connexion Internet, mais le souper et le déjeuner sont inclus dans le forfait !

Conversation avec un bon musulman…

À 18 h, il fait déjà nuit, je m'allonge sur le dos dans le sable et je contemple les étoiles. En fait, c'est une pluie d'étoiles qui semble tomber sur mon visage de ce ciel illuminé par un croissant de lune ! Le spectacle est époustouflant et… gratuit.

J'écris à une amie, qui deviendra plus tard ma compagne de vie, que les nuits dans le désert sont plus belles que le jour. Je lui ai promis qu'un jour je l'amènerais dans le désert et j'ai tenu ma promesse. Six ans plus tard, Loulou viendra avec moi dans le désert de Merzouga.

Pendant qu'on déguste un tagine cuit sur un feu de bois, je discute avec mon guide. Pour une fois, j'ai la chance d'avoir une longue conversation avec un jeune musulman presque radical dans la pratique de sa religion ! Il fait sa prière cinq fois par jour, observe consciencieusement le jeûne pendant le ramadan et est absolument persuadé qu'il aura droit, s'il demeure un bon musulman toute sa vie, à soixante-douze vierges au paradis d'Allah. Il est aussi convaincu que dans mon cas, malgré que je semble être une bonne personne et un bon père de famille, malheureusement, je vais brûler dans le feu de l'enfer parce que je suis un infidèle qui ne croit pas à Mahomet et à son Coran. Tout bonnement, la conversation glisse sur les relations hommes femmes.

Mon guide, Mohamed, a 23 ans, et il a une copine sérieuse depuis près d'un an ; en fait, c'est la seule femme qu'il a véritablement fréquentée et il est maintenant fiancé. Le mariage est prévu pour l'été suivant, Inch'Allah. Quand je lui demande s'il a déjà eu des relations sexuelles, il me répond tout gêné que, oui, il a eu une expérience, mais il s'empresse de mentionner que ce n'est pas avec sa promise. Cette femme qui l'a initié à l'amour charnel, il ne va jamais la marier, car elle n'est pas digne d'être présentée à sa mère. Sa fiancée, elle, doit rester pure jusqu'au jour J. Il me raconte que la principale cause de divorce dans son pays, c'est la virginité des filles.

Il faut comprendre que, très souvent dans les pays musulmans, la coutume veut que la nouvelle mariée aille vivre dans la famille de son mari. Si la belle-mère réalise que sa bru n'était pas vierge le jour du mariage, elle forcera son fils à la répudier immédiatement et à la retourner dans sa famille.

— Le problème, me dit-il, c'est que les filles se disent vierges, mais elles ne le sont pas !

— Et comment tes parents vont-ils le savoir ? que je lui demande.

— Le drap, il doit y avoir une tache de sang sur le drap que je dois montrer à ma mère le lendemain de la nuit de noces. C'est la coutume dans ma famille et ma mère tient à respecter les traditions.

Alors je lui dis, mi-blagueur mi-sérieux :

— Si jamais tu as un problème de virginité avec ta fiancée et que tu l'aimes vraiment, prends ton canif et fais-toi une toute petite coupure sur le petit doigt et le tour est joué !

Il ne m'a pas trouvé drôle.

— On ne triche pas avec Allah, il voit tout… Allah est grand.

— Mais maintenant que le nouveau roi a interdit la répudiation, que je lui dis, les hommes, même nouveaux mariés, ne peuvent plus répudier leur femme impure ?

— C'est un gros problème, me répond-il tout penaud, un gros problème !

Je suis persuadé, sans l'avoir revu par la suite, que sa nouvelle femme porte le niqab comme toute bonne musulmane… Allah est grand.

Chapitre 26

Avril 2004, cinquante-six ans

La rencontre avec Loulou

Je suis célibataire, passionné de danse sociale et, comme je l'ai mentionné souvent, je vais danser tous les week-ends. Je fréquente presque toujours la même salle de danse, le Rendez-vous, sur la rue Lacordaire à Montréal. Mais comme tous les célibataires intéressés à faire de nouvelles rencontres, je décide donc, ce soir d'avril 2004, d'aller pour la première fois à un souper dansant-rencontre à Laval. Le concept est intéressant. Les organisateurs de l'événement louent une salle de restaurant; pour favoriser les rencontres, on installe des tables rondes pour huit personnes, généralement des amateurs de danse. J'ai beaucoup de plaisir à faire danser toutes les femmes assises à ma table et même aux autres tables.

Donc, ce soir-là, je suis en train de placoter, quand une belle grande dame élégante s'approche de moi et me demande si je m'appelle Jacques. Quand je lui confirme que c'est le cas, que mon nom est bien Jacques Leclerc, elle me dit tout étonnée: « Est-ce que tu te souviens de moi? Je suis Louise, ton ancienne voisine. »

Retour en arrière à Saint-Jérôme, juillet 1995, 47 ans

Pour comprendre ce coup incroyable du destin, il faut remonter onze années en arrière. Comme je l'ai déjà raconté, en 1993, mes affaires vont bien, je suis propriétaire d'une salle de danse à Saint-Jérôme, j'y habite un petit condo sur la rue Bélanger. Depuis 1991, j'ai pour voisin un gentil couple, mais, à partir de 1993, je remarque que la dame, que je salue à l'occasion, semble vivre seule. En fait, je ne vois plus son copain.

Par une belle journée d'été, en 1995, je l'invite à venir marcher avec moi sur la piste du P'tit train du Nord qui passe tout juste à côté de notre édifice. Nous marchons jusqu'au parc des chutes Wilson sur la Rivière-du-Nord. Elle me confirme qu'effectivement, elle vit seule depuis quelques mois. Je la trouve tellement belle, mais, comme elle a dix années de moins que moi, je n'ose pas lui faire la cour. On sort à l'occasion, copain-copain. Un jour, elle m'invite à dîner à son condo avec sa famille. Comme elle sait que je suis végétarien, elle me concocte un petit plat sans viande. J'apprécie sa délicatesse et sa personnalité. Je me souviens aussi de l'avoir invitée à venir admirer les feux de la Saint-Jean à partir de mon balcon.

En octobre 1998, je pars en voyage en Inde et en Thaïlande. Dès mon retour, je n'ai qu'une envie : repartir ! En avril 1999, je repars pour mon premier tour du monde. Au cours de ce périple, j'envoie des cartes postales à ma voisine, Louise. Elle m'a dit les avoir conservées assez longtemps. Par la suite, elle revient souvent dans mes pensées, mais jusqu'à 2002, l'année où j'ai eu un accident à Bromont, je ne pense pas vraiment à l'amour avec un grand A ; je ne pense qu'à m'amuser, faire des rencontres et continuer à voyager. J'ai fait quelques voyages accompagnés d'amis, mais, le plus souvent, en solitaire. Peu de temps après l'accident d'auto, je retourne à Saint-Jérôme pour m'occuper de mon fils malade. Je profite du fait que je suis dans cette ville pour revoir Louise. En fait, je voulais simplement prendre de ses nouvelles : déception, elle est déménagée, impossible de la retrouver.

Je repars pour plusieurs voyages en Inde, en Thaïlande, et aussi au Bangladesh. À l'automne 2003, je fais un voyage de trois mois en Amérique du Sud. Louise est complètement disparue de mes pensées et n'y reviendra que lors de cette soirée de printemps 2004, à l'occasion de cette soirée de danse, alors que je la retrouve… assise en face de moi.

Non, je n'ai rien oublié, Charles Aznavour.

Je reconnais Louise difficilement. Je ne l'avais pas revue depuis presque huit ans! Elle avait quand même changé un peu! Entre autres, sa coiffure est fort différente. Puis me viennent à l'esprit les paroles de cette belle chanson de Charles Aznavour.

«Qui m'aurait dit qu'un jour, sans l'avoir provoqué, le destin, tout à coup, nous mettrait face à face... Toi, tu n'as pas changé, la coiffure peut-être...»

La dernière fois qu'on s'était vus, Louise avait les cheveux courts, très courts, maintenant elle les a longs et bouclés. Comme toujours, elle a beaucoup de classe. Bref, je la trouve superbe. Nous parlons un peu, mais, avec la musique, ce n'est pas la place idéale pour se remémorer des souvenirs lointains. Je quitte la place en lui laissant une brochure sur une conférence que je vais présenter la semaine suivante à Repentigny. À cette époque, je présente des conférences déjà depuis plusieurs années, car, entre deux voyages, c'est comme cela que je gagne ma vie, en racontant mes expériences de globe-trotter dans les écoles, les bibliothèques et établissements du genre.

De son côté, Louise avait continué une petite vie tranquille, métro-boulot-dodo, ce qui est bien, bien loin de ma vie d'aventurier. Nos vies sont vraiment trop différentes.

Loulou me téléphone, nous nous revoyons pour aller souper et, évidemment, pour aller danser. Bref, pour faire plein d'activités ensemble. J'ai tellement d'histoires à lui raconter! En peu de temps, je m'attache à elle, mais, elle, je la sens distante. Est-ce que c'est notre différence d'âge qui est le problème? Elle me répond «non, ce sont nos vies trop différentes, toutes ces femmes que j'ai connues dans plusieurs pays, et ces aventures, et cette vie de vagabond. Je suis devenu un S.D.F. (sans domicile fixe)». C'est un monde qu'elle ne connaît pas et cela lui fait peur. Je suis devenu un étranger, elle ne reconnaît plus l'homme d'affaires qui était son voisin.

Je la comprends très bien, à son âge, une femme recherche plus la sécurité qu'une vie d'aventures. Pour ne pas me blesser davantage, je décide donc de ne plus la revoir. La vie continue. Louise se fait un nouveau copain, et, moi, je pars en voyage au Maroc. Dès mon retour, elle m'apprend que ça n'a pas marché avec son copain et qu'elle aimerait me revoir. Nous nous fréquentons à nouveau, mais Loulou n'arrive toujours pas à décider si elle souhaite ou non une relation à long terme, alors que, moi, je ne veux pas d'une relation copain-copain. Alors, je repars pour un long voyage, en Russie cette fois, voyage que j'avais planifié depuis longtemps. Mais la séparation sera pénible.

Chapitre 27

La Russie et le Transsibérien, juin 2005, cinquante-sept ans

Les touristes au sac à dos ne sont pas les bienvenus !

Je prépare ce voyage depuis longtemps: la Russie et le Transsibérien en sac à dos. Au moment du départ, pour des raisons difficiles à expliquer, pour une rare fois, j'ai des appréhensions. Ce n'est pas dans mes habitudes puisque j'ai toujours hâte de partir. Est-ce à cause de la réputation qu'ont les Russes de mal accueillir les voyageurs au sac à dos? Ou est-ce que, pour la première fois, je laisse derrière moi, une personne dont je suis amoureux? C'est, je crois, pour cette dernière raison que je ne suis pas du tout enthousiaste à l'idée de partir pour plusieurs mois. Comme je l'ai raconté dans le chapitre précédent, je viens de passer une année merveilleuse à fréquenter Loulou, mais j'en arrive à la conclusion que cette relation ne mène nulle part. Alors je quitte le Québec, j'ai besoin d'air, ou d'aventures, et ça ne manquera pas. Je garde à la mémoire le souvenir de deux personnes à l'aéroport P.E.T. de Montréal, enlacées l'une à l'autre, incapables de se séparer. J'ai les larmes aux yeux, elle pleure aussi. Finalement, les yeux pleins de larmes, je lui fais un dernier signe de la main avant de passer les barrières des douanes, le cœur déchiré. Mais je dois partir... Pour oublier.

Après avoir visité plusieurs pays de l'Europe de l'Est, je me retrouve à Kiev, capitale de l'Ukraine. Je suis parti pour un voyage de trois mois dont le but est de prendre le Transsibérien de Moscou à Vladivostok. Ce trajet est toute une expérience de vie, c'est le plus long circuit de train au monde, près de dix mille kilomètres de rails et treize fuseaux horaires à franchir, la Russie est le plus vaste pays du monde. C'est comme traverser tout un continent, mais sans franchir de frontières. Je prépare ce voyage depuis de longs mois, j'ai assisté à plusieurs conférences expliquant le mode d'emploi pour faire le Transsibérien sans ennui, mais voilà, ce genre de périple ne se fait justement pas sans complications. J'ai rempli toutes les formalités de départ, je suis allé au consulat russe à Montréal afin d'obtenir mon visa pour la Russie, ce qui n'est pas évident à obtenir.

Me voilà rendu à Kiev et je m'apprête à prendre le train pour Moscou, point de départ du Transsibérien. En me dirigeant vers la gare, je réfléchis à l'idée de prendre un billet pour Saint-Pétersbourg plutôt que de me rendre à Moscou. Au lieu de faire Moscou–Saint-Pétersbourg-Moscou et ensuite prendre le Transsibérien, je suis aussi bien d'aller directement à Saint-Pétersbourg, puis à Moscou et ensuite le Transsibérien. Ce changement dans mon circuit fut une erreur que je vais regretter amèrement. Laissez-moi vous raconter :

Here is Biellorussia…transit… niet… out

J'arrive à la gare de Kiev, j'exhibe mes papiers, passeport, visa et lettre d'invitation. La préposée me fait signe (puisqu'elle ne parle presque pas l'anglais) que tout est conforme. Je demande un billet pour Saint-Pétersbourg, pas de problème. Je monte dans le train qui roule pendant presque huit heures. À bord, je change mes dollars américains pour des roubles et tout est merveilleux jusqu'à ce que le train s'arrête au milieu de nulle part. Des soldats montent dans le train afin de vérifier les billets et les passeports. Confiant, je remets mes documents à l'officier qui est loin d'avoir le sourire aux lèvres. Et c'est là que ça se gâte. Il me lance au visage : « *Out… here is Biellorussia…transit… niet… out* ! »

Sans ménagement, des soldats ramassent mon sac à dos et le lance par la porte à l'extérieur vers un petit cubicule qui à l'air d'une *bécosse* ; on me fait signe d'attendre puisque, bien entendu, personne ne parle ni le français ni l'anglais. On est au petit matin, je suis assis sur mon sac à dos, fatigué, mais pas nerveux, j'attends la suite des événements ne sachant absolument pas ce qui va se passer.

Puis un train arrive du sens contraire, il s'arrête, les soldats me propulsent littéralement jusqu'à un compartiment où il y a déjà pas mal de monde. Je refuse d'entrer, je suis en colère, et je n'entends pas me faire dicter où je dois m'asseoir. « Bande de trous-du-cul ! » que je dis, sachant très bien qu'ils ne comprennent rien en français. Le train repart et je tente de savoir dans quelle direction.

Je suis le seul étranger dans ce train en Biélorussie et personne ne parle ma langue. Comment savoir où s'en va ce train ? Finalement, on me présente une dame qui parle quelques mots d'anglais ; je vais l'appeler « mon ange », elle me dit que le train s'en va en Crimée, ouf… ce n'est vraiment pas la bonne direction pour aller à Moscou. Comment sortir de cette aventure ? Mon ange va tout faire pour me sortir du pétrin. Après lui avoir dit que j'aimerais retourner à Kiev, elle va elle-même faire les démarches pour trouver le bon train, la bonne connexion et finalement effectuer l'achat du billet pour le retour à Kiev. J'ai le goût de l'embrasser, mais, malheureusement, ça ne se fait pas en Biélorussie ! Deux heures plus tard, je suis sur le quai d'une nouvelle gare et, billet en main, j'attends le train numéro 1804 pour me ramener à mon point de départ. Au moment où le train s'arrête devant moi, je me rends compte que mon compartiment ressemble plus à un wagon pour bestiaux que pour les humains.

Hésitant, j'y entre pour me retrouver sur un banc en bois, le seul qui n'est pas trop sali par du ketchup ou brisé ou trop sale. Le compartiment semble littéralement squatté par trois skinheads dont le passe-temps est de boire de la vodka et de la vomir par la suite sur le plancher. Vous devinez que je ne suis pas tout à fait en première classe. Je me fais petit et je les ignore, mais eux aimeraient bien faire une petite « jasette » avec moi. Dans une situation semblable, j'utilise une tactique qui m'a bien servi dans le passé, en Inde. Je joue au sourd et muet. Par des signes très théâtraux, je leur fais comprendre que je n'entends pas et ne parle pas. Comme dans le passé, cela a fonctionné. Je fais semblant de lire un livre, mais je garde les yeux bien ouverts sur ces trois larrons qui seront mes compagnons de voyage pour les quatre prochaines heures. Vous devinez que je n'ai pas raconté cette histoire non plus à ma mère.

Moscou, juin 2005, cinquante-sept ans

Après cette mésaventure avec les soldats en Biélorussie, je descends du train à la gare de Moscou avec une seule adresse en poche et un bouquin sur le Transsibérien. Moscou est une ville énorme, de quoi donner le vertige à un touriste qui voyage en solitaire et le sac au dos. De plus, il y a le problème de la langue et les Russes n'ont pas la réputation d'être le peuple le plus accueillant du monde. Je dis souvent à la blague (pas complètement!): «Si vous voulez aller en Russie et que vous ne parlez pas le russe, n'allez pas en Russie. Si vous voulez aller en Russie et que vous parlez le russe, eh bien… n'allez pas en Russie.» En fait, je conseille fortement d'aller voir Moscou et Saint-Pétersbourg, mais en groupe organisé ou avec un guide-interprète.

Quand j'ai décidé d'aller en Russie, on m'avait dit que les Russes étaient un peuple froid, froid comme le lac Baïkal en Sibérie. À quelques exceptions près, je dois avouer que je garde l'impression qu'ils sont malheureusement fidèles à leur réputation.

Moscou est une des villes où les hôtels sont parmi les plus chers du monde. Dans mes recherches sur Internet avant mon départ, j'ai trouvé et réservé une chambre dans une auberge bon marché et très bien située au centre-ville, sur la rue Norwi-Arbat. Mon sac au dos, je marche dans la ville en demandant aux Moscovites rencontrés ici et là où est situé cet endroit. J'ai invariablement comme réponse: «*Niet!*» Il faut croire que ou bien je prononce mal le nom de la rue ou bien les Moscovites rencontrés ne connaissent pas leur ville. Après des heures et des kilomètres de marche, je m'arrête dans un beau petit parc pour me reposer.

Tout à coup, quelle chance, j'entends les deux dames assises sur le banc d'à côté, parler en français et, double chance, l'une d'elles est guide touristique ici même à Moscou (j'ai toujours dit que j'étais un homme chanceux). Quand je prononce le nom de Norwi-Arbat, à ma grande surprise, elle me dit que c'est tout à côté, à quelques rues du parc où l'on se trouve. La dame m'explique que le véritable nom de cette rue est Arbat et le mot *Norwi* veut tout simplement dire nouvelle rue Arbat. Voilà pourquoi les gens me disaient ne pas connaître le nom de cette rue. Par contre, le fait d'avoir marché de la gare au centre-ville, une distance approximative de vingt-cinq kilomètres, me donne maintenant une bonne idée de ce à quoi ressemble cette ville.

Moscou est la capitale de la Russie et la plus grande ville d'Europe. Avec ses quinze millions d'habitants, elle est aussi la plus populeuse d'Europe. Elle est le centre économique, politique et universitaire de la Russie. Moscou, c'est aussi le théâtre Bolchoï, la cathédrale Saint-Basile, la Moskova, le Kremlin. Voilà de quoi impressionner un visiteur qui débarque de la gare. Bref, j'ai tellement hâte d'aller sur la place Rouge.

Comme c'est bien précisé dans mon *Lonely Planet*, la rue Arbat est une rue piétonnière pittoresque, comme la rue Prince-Arthur à Montréal, située à quelques kilomètres de la place Rouge. De nos jours, c'est l'une des rues les plus fréquentées par les touristes à Moscou, avec ses divertissements et ses boutiques de souvenirs.

J'arrive à l'auberge, l'accueil est excellent et une jeune et jolie Russe me reconduit à ma chambre. En fait, je devrais dire *à mon lit* puisque je dormirai dans un dortoir, oui, oui, un dortoir. J'aime bien passer la nuit dans des dortoirs pour plusieurs raisons. La première, vous avez deviné, c'est beaucoup moins cher et lors d'un voyage de plusieurs mois, l'hébergement, ça gruge un budget. Deuxièmement, vous n'êtes jamais seul, il y a toujours quelqu'un à qui parler et avec qui échanger des informations utiles. Je ne compte plus les destinations que j'ai modifiées à la suite des recommandations d'un voisin de dortoir. Ici, à Moscou, je suis installé dans un lit à deux étages et nous sommes onze colocataires. Paul, le Marseillais du lit d'à côté, m'offre de m'accompagner en métro vers la place Rouge. Nous partirons vers 18 h.

Selon Wikipédia, « le nom de la place ne vient pas de la couleur des briques rouges environnantes ni du lien entre cette couleur et le communisme ». Son nom russe voudrait tout simplement dire « belle place ». La place Tian'anmen à Beijing est très imposante, mais je crois que la place Rouge, c'est la plus belle au monde. C'est une vaste esplanade où vous trouverez, en plus du mausolée de Lénine, la basilique de Basile-le-Bienheureux, le musée d'Histoire et le Goum, un centre commercial, construit en 1893. C'était à l'époque, le plus grand centre commercial du monde. Juste à côté de la place Rouge se trouve le Kremlin. Pour les gens de ma génération qui ont connu la guerre froide et entendu parler du Kremlin presque tous les jours pendant des décennies, visiter cet endroit n'avait été pour moi qu'un rêve, tellement inatteignable.

Cette place est une vaste forteresse en plein cœur de Moscou. Il regroupe à l'intérieur de son enceinte des palais et des cathédrales. La cathédrale de la Dormition est la plus ancienne et la plus importante de Russie. Les tsars s'y faisaient couronner et s'y mariaient. Aux fins de mes conférences, je prends évidemment beaucoup de photos. Et comme je voyage souvent seul, je demande à des touristes, au hasard, s'ils veulent bien me photographier devant tel ou tel édifice. Alors, devant cette magnifique cathédrale, je me tourne vers une inconnue et je lui demande en anglais si elle veut bien me rendre ce service. La dame me répond en français : « Bien certainement, monsieur Leclerc. » J'en suis abasourdi ! « Mais comment connaissez-vous mon nom ? » Elle me répond : « J'ai déjà assisté à une de vos conférences. » Imaginez, je ne suis pas à Québec ni à Matane, je suis sur la place Rouge à Moscou ! WOW ! J'ai revu cette gentille dame par la suite à une de mes conférences sur… la Russie.

Le Kremlin fut jadis la résidence officielle des tsars. Aujourd'hui, il abrite leurs sépultures. En septembre 1812, le Kremlin eut brièvement un locataire prestigieux, Napoléon. Cette immense forteresse est flanquée de vingt tours, toutes plus belles les unes que les autres. Certaines sont rondes, d'autres quadrangulaires ; en fait, elles sont toutes différentes et impressionnantes. Faire le tour du Kremlin demande du temps, mais c'est un délice pour les photographes.

Accompagné de mon coloc, Paul, je me déplace tranquillement sur la place, les yeux écarquillés ; à son signal, je tourne la tête à gauche et là, juste devant moi, voilà la fameuse cathédrale Basile-le-Bienheureux ! Au premier coup d'œil, je ne suis pas certain que j'aime ça ; en fait, je trouve que trop, c'est trop. La cathédrale est en fait un complexe de huit églises séparées, chacune couronnée d'un clocher à bulbe. La construction de la cathédrale a été commandée par le tsar Ivan IV, dit Ivan le Terrible. Selon la légende, devant une telle beauté, le tsar ordonna que l'on crève les yeux des architectes afin qu'ils ne puissent pas reproduire ailleurs une cathédrale semblable. Finalement, je la trouve très belle, je dirais même très, très, belle. J'aime tellement la place Rouge que j'y reviendrai tous les soirs pour me fondre dans la foule de Moscovites et de touristes de tous les pays du monde.

Avant de m'embarquer dans cette longue randonnée, je dois prendre quelques décisions. La première, je ne ferai pas le voyage d'un seul trait, m'arrêtant dans quelques villes, dont Iekaterinbourg, Krasnoïarsk, Irkoutsk, et Oulan-Oude. Je prévois aussi une escale au merveilleux lac Baïkal en Sibérie. Ma deuxième décision, c'est de ne pas me rendre jusqu'au bout de la ligne à Vladivostok. Il n'y a rien à visiter là-bas, c'est une base militaire russe. Et ma troisième décision consiste à prendre le Transmongolien depuis le lac Baïkal pour me rendre en Mongolie et de là vers Beijing. À peine après avoir quitté Moscou, dois-je dire, j'ai l'impression d'avoir fait un bond incroyable vers une autre Russie : la Russie des paysans, la Russie des pauvres. En fait, ça ressemble à la Gaspésie des années cinquante.

Premier arrêt, Iekaterinbourg, la ville où furent assassinés, dans la villa Ipatiev, le tsar Nicolas II ainsi que toute sa famille. L'église du Sauveur-sur-le-Sang fut construite à l'emplacement même de la funeste bâtisse. À Krasnoïarsk, je flâne dans les rues de la ville à la recherche d'une place pour dormir. Voilà qu'incroyable, mais vrai, j'entends crier : « Jacko ! Jacko ! » Par le plus grand des hasards, je retrouve mon ami marseillais, Paul, mon voisin de dortoir à Moscou. Après de chaleureuses retrouvailles, il m'amène à l'auberge où il est installé pour quelques jours.

La propriétaire est une vieille femme russe, une babouchka, désagréable. Quand j'arrive, elle est assise devant son téléviseur et il est évident que je la dérange. En se traînant les pieds, elle arrive au comptoir, l'air maussade. Une vitre très épaisse nous sépare, la communication est difficile, pour ne pas dire impossible. Finalement, après avoir été payée, elle me glisse la clef sous le guichet de verre et retourne s'asseoir devant sa télé sans dire un seul mot. Quand je cogne dans la vitre pour savoir à quel étage est située ma chambre, elle se retourne et, tout simplement, me fait signe de la main de partir. Un bel exemple de l'hospitalité russe. Ce soir-là, Paul et moi avons dormi dans la même auberge. Nous avions tellement d'histoires à nous raconter !

Demain, je reprends le train pour Irkoutsk. Cette ville de Sibérie est une étape importante sur le parcours du Transsibérien. Pendant la période du stalinisme, elle fut un important rouage du tristement célèbre goulag, l'organisme central à la tête des camps de travaux forcés en URSS. Au total, probablement dix à vingt millions de personnes séjournèrent dans ces camps, notamment le prisonnier le plus connu, Alexandre Soljenitsyne, le célèbre écrivain et dissident russe. Plusieurs millions de prisonniers politiques sont morts dans ces camps de concentration. Au total, les historiens semblent s'entendre pour établir le nombre de victimes de Staline, surnommé le Petit Père du Peuple, aux environs de trente millions.

Pendant la guerre civile qui suivit la révolution russe de 1917, la région d'Irkoutsk fut le théâtre de nombreuses et sanglantes opérations entre Russes blancs et Russes rouges.

À la gare d'Irkoutsk, je mange une banane en attendant mon départ prévu dans sept minutes quand je vois venir vers moi quatre soldats. Depuis le début de ce voyage, c'est la troisième fois que j'ai affaire avec l'armée. Inutile de vous dire que je suis craintif quand j'aperçois des soldats. Mine de rien, je fais semblant de ne pas les voir et, lentement, je m'apprête à ramasser mon sac à dos. Mais j'ai à peine le temps de me redresser que les soldats m'entourent déjà. Dans un mauvais anglais, un des soldats me demande mon passeport; je le lui remets immédiatement, sachant que mon train arrive dans quelques minutes. Oh! Malheur! Un des soldats saisit mon sac et m'ordonne de les suivre. Mais pour aller où? J'ai beau leur montrer mon billet de train, ils restent impassibles. On sort de la gare. Est-ce qu'on m'amène au goulag? me demandai-je. Je suis vraiment au bon endroit pour ça. Finalement, on me conduit dans un petit bureau qui ressemble à un poste de police. À ce moment-là, je comprends que je vais manquer le prochain départ du train. Mais pour l'instant, ce n'est pas ma préoccupation première. Je ne suis pas effrayé, parce que, d'expérience, je sais ce qu'ils veulent: des *bakchichs*. Je vous explique la technique habituelle.

Après avoir saisi votre passeport, on vous fait entrer dans un petit bureau où, pour impressionner, se trouvent déjà plusieurs soldats. Après quelques questions stupides du genre: «D'où venez-vous? Où allez-vous?» (Je dis «stupides» parce qu'ils ont déjà bien vu les réponses à toutes leurs interrogations sur mon billet de train et mon passeport). Ensuite, on passe au plus sérieux. Le colonel me soupçonne de transporter de la drogue et m'ordonne de vider mes bagages. Paradoxalement, au moment où je m'exécute, personne ne regarde! Ils connaissent déjà la réponse. Ensuite, c'est ce que j'appelle «la classique»: on me soupçonne d'avoir de faux billets de banque et on me demande de sortir tout mon argent, dans ce cas-ci, des roubles et les dollars américains afin, me dit-on, de faire une «vérification».

Le colonel (je désigne ainsi celui qui semble le plus haut gradé) prend mes billets de banque. Il y en a pour deux mille dollars en coupures de cent dollars et il les place devant la fenêtre afin de vérifier si ce sont de faux billets. Je me retiens pour ne pas rire. Ensuite commence ce que j'appelle la partie théâtrale. Le gradé compte l'argent devant moi, mais en faisant glisser les billets de sa main gauche vers sa droite, il laisse tomber, sans sembler, bien sûr, s'en rendre compte, quelques billets de cent dollars. Il me remet les billets rescapés en me disant: « Voilà votre argent ». Je suis persuadé que, règle générale, le touriste stressé par cette situation décampe sans ramasser les billets par terre. Personnellement, j'ai toujours recueilli les billets « échappés » sur le plancher et je quitte la place avec mon plus beau sourire, sans aucun problème... Jusqu'à ce jour!

Il n'est pas nécessaire de vous dire qu'à cause de cette visite de « courtoisie » au colonel, j'ai raté mon train. Alors me revoilà à la gare, attendant le prochain départ, mais, cette fois-ci, à 23 h 30. Finalement monté à bord, je me dirige vers ma cabine à quatre couchettes, mais, surprise, il y a déjà un soldat qui roupille dans mon lit. Décidément, je n'en ai pas terminé avec les militaires russes! Alors j'appelle « la Boss ». J'ouvre ici une parenthèse pour vous expliquer le fonctionnement du service d'ordre à l'intérieur des trains russes, et, aussi, qui est ce personnage que j'appelle affectueusement « Madame la Boss » ». Puisque la majorité des passagers sont des Russes qui voyagent sur de longs trajets, quatre-vingts pour cent des wagons du Transsibérien offrent des compartiments à quatre couchettes. Quelques-uns sont privés, mais c'est plutôt rare. Quand un passager entre dans le train, il se dirige vers le numéro de compartiment inscrit sur son billet et, une fois à l'intérieur, il repère son numéro de lit. J'ai toujours une préférence pour la couchette du haut.

Habituellement, quelques minutes après le départ du train, la personne responsable du wagon vient vérifier notre billet. Elle note dans son livre la destination du passager et c'est à ce moment qu'elle lui remet ses couvertures, un oreiller ainsi qu'une tasse pour prendre de l'eau chaude. C'est Madame la Boss. Ces préposées sont généralement serviables et gentilles, mais aussi très autoritaires. À chaque arrêt du train, qu'il soit long ou bref, c'est elle qui décide si nous avons la permission ou non de descendre du train. Selon la durée de l'intervalle, il est toujours très intéressant de descendre du train, de marcher un peu. Ces quelques sorties permettent de faire connaissance avec les autres touristes qui maîtrisent l'anglais.

À chaque gare, on trouve le spécimen d'une ancienne locomotive exposé à la vue des voyageurs. Ces machines sont très bien conservées et comportent un petit écriteau descriptif en russe et en anglais. On y obtient aussi des renseignements sur la construction du Transsibérien. Saviez-vous que ce projet colossal fut inspiré du chemin de fer transcanadien ?

Mais, à chaque arrêt, ce qu'il y a de plus intéressant, ce sont les babouchkas, ces femmes russes d'âge mûr qui font la cuisine sur des petits poêles transportables. Je dois avouer que la nourriture qu'on nous sert aux voitures-restaurants n'est pas tellement appétissante ni variée. Peu importe le jour de la semaine, on voit toujours sur le menu des patates avec du chou rouge au vinaigre et le lendemain, des patates avec du chou rouge au vinaigre et la fin de semaine, encore... des patates avec du chou rouge au vinaigre. Par contre, les voyageurs, surtout les Russes, peuvent s'abreuver de vodka à volonté. Alors, imaginez une seconde le plaisir de se trouver devant ces femmes aux tabliers colorés arborant sur la tête un petit fichu, en train de nous préparer un délicieux repas qu'on apporte dans notre compartiment ! Les effluves de la cuisson nous font déjà saliver.

Mais revenons à ce soldat couché tout habillé dans ce qui devait être mon lit. Non seulement il dort, mais il ronfle. Je n'ose pas le réveiller, j'ai eu ma dose de problèmes avec les militaires depuis le début de ce voyage. Alors je vais chercher Madame la Boss qui s'amène bien décidée à faire régner la loi et l'ordre. À sa démarche, j'ai l'impression qu'elle est habituée à ce genre de problème. Après avoir vérifié que j'ai bien le bon numéro de compartiment, elle brasse le corps étendu dans mon lit et, sans ménagement aucun, elle l'expulse vigoureusement de ma cabine. Elle donne l'ordre de m'apporter des draps et des couvertures propres, et c'est comme un bébé que je m'endors au son du mantra *chlikh-cheikhschlik-àcheikh* du train.

Comme je le disais, j'ai décidé de ne pas faire tout le trajet de Moscou à la Mongolie d'un seul trait. Alors je descends du train de temps en temps pour remonter quelques jours plus tard. La conséquence, je ne sais jamais à quoi m'attendre de mes nouveaux colocs. Je dois dire que j'ai été assez chanceux, car, malgré une communication minimale, j'ai toujours partagé mon compartiment avec des Russes sympathiques. Dans la dernière partie de mon trajet, la plus longue, mes voisins de compartiment sont une grand-mère et son petit-fils. Ils ne parlent pas un seul mot d'anglais ni bien entendu de français. Ils sont bien sympathiques, mais, quand j'ai voulu les photographier, la grand-maman m'a fait signe que non. J'ai alors conclu qu'elle jugeait peut-être avoir passé l'âge de jouer au mannequin, mais, bon, je n'insiste pas.

Quelques jours plus tard, une jeune Américaine vient occuper le lit qui est libre dans notre compartiment et elle parle le russe, ce dont la vieille et son petit-fils ne se rendent pas compte. De mon côté, je suis bien content de pouvoir converser dans ma langue maternelle, puisque cette femme parle aussi le français. Un matin, elle m'informe que ces gens sont probablement des contrebandiers. Je devais apprendre plus tard que bien du monde semblait utiliser le Transsibérien pour des fins de contrebande, surtout sur la dernière partie du tronçon vers la Mongolie. Ma voisine descend du train à la dernière gare avant que le train ne bifurque vers la Mongolie. Elle s'en va à Vladivostok et moi, toujours en compagnie de mes deux présumés passeurs, vers la Mongolie.

À la frontière entre les deux pays, le train s'arrête comme il se doit. On ordonne à tous les voyageurs de rester dans leurs compartiments respectifs. Ce que j'appréhende depuis la confidence de mon Américaine arrive: l'armée investit littéralement le train. J'entreprends de fouiller méticuleusement mes bagages au cas où on y aurait caché quelque drogue ou autres choses dans mon sac à dos. Quand les militaires arrivent à notre compartiment, ils nous demandent de sortir dans le couloir pendant qu'ils entrent, des outils à la main, pour fouiller.

C'est une véritable perquisition. Ils démontent les lits, retournent les matelas et vont même jusqu'à défaire le plafond du compartiment. La grand-mère demande la permission d'aller à la toilette, on lui accorde. Moi, je reste nerveux dans le couloir en pensant au goulag. Le temps n'en finit plus ! Finalement, le « colonel » nous remet nos passeports et nous pouvons réintégrer nos couchettes. Ouf… J'entre finalement sain et sauf en Mongolie. Le Transsibérien, quelle aventure… à ne pas répéter ! En Mongolie, on me confirme qu'il y a effectivement un marché noir florissant entre les deux pays et que les trafiquants utilisent le train pour entrer leur marchandise incognito. Est-ce que la grand-maman aurait caché des choses dans la toilette ? Pourquoi a-t-elle refusé de se faire photographier ? M'enfin, me voilà dans un nouveau pays pour vivre d'autres aventures.

Mongolie, juillet 2005, cinquante-sept ans

Je suis dans la capitale de la Mongolie depuis quelques jours, Ulan-Batar. Cette ville ne devait être qu'un simple arrêt sur ma route vers la Chine. Mais je suis littéralement tombé en amour avec ce pays et j'ai eu le goût de le découvrir en profondeur. Je m'installe dans une petite auberge minable à trois dollars la nuit, mais tellement sympathique ! Je m'informe auprès du propriétaire qui, étonnamment, parle un français impeccable, afin de trouver un guide fiable parlant ma langue ou l'anglais. En quelques minutes, il me trouve non seulement un guide parlant l'anglais et aussi une voiture avec chauffeur, et ce, à un prix dérisoire.

Très tôt le lendemain de mon arrivée, nous quittons la grande ville pour parcourir les steppes de ce pays immense et magnifique. Là-bas, ce qui est particulier, c'est qu'une majorité de la population vit encore en nomade. Les familles vivent dans une yourte, et leurs troupeaux de chèvres, de yaks ou de chevaux sont laissés en toute liberté dans la prairie à brouter l'herbe sous leurs sabots. Quand les animaux ont nettoyé leur pâturage, la famille défait la yourte en quelques minutes, en place les pièces sur une charrette avec les meubles et les trucs décoratifs et va s'installer dans un autre coin du pays où l'herbe saura satisfaire leurs animaux. J'ai eu la chance d'être invité par une famille à dormir sous la yourte et y passer quelques jours de vie de nomade. De retour dans la capitale, je trouve un café Internet où j'entends envoyer régulièrement des courriels à la famille et aux amis. Il faut dire que je suis parti depuis plusieurs mois et mes enfants ont très hâte d'avoir des nouvelles de papa.

Un jour, après avoir envoyé mes courriels, je décide qu'il est temps de me rendre à la gare afin d'acheter mon billet de train pour la Chine. En sortant du café, une dame m'approche et me demande si la connexion Internet fonctionne ce jour-là. Elle est plutôt jolie pour son âge, très aimable, et parle un assez bon anglais. Je lui réponds que tel est le cas, car je viens tout juste d'écrire à ma famille. Elle me demande tout bonnement de quel pays je viens et, comme elle semble avoir du temps et, moi aussi, je l'invite à prendre un café. Elle me raconte qu'elle fut jadis professeure d'anglais à Moscou (c'est pour cette raison qu'elle parle bien l'anglais). De retour dans son pays, elle travaille pour une œuvre de charité qui fabrique des jouets pour les enfants pauvres à partir de petits ossements d'animaux. Sur ce, elle me demande si je suis disposé à voir ces fameux jouets. Comme je suis toujours curieux de voir des choses bizarres et que j'ai l'intention d'en parler dans mes conférences, je décide sur-le-champ de la suivre chez elle. Elle habite sur le chemin de la gare où je dois me rendre pour acheter mon billet.

La dame, dont j'ai oublié le nom, habite un de ces immeubles à logement très laids, bâtis du temps des Soviétiques, où on entassait des familles pour des loyers très modiques. Son appartement n'est vraiment pas luxueux, mais propre. Pendant que chauffe la bouilloire, elle me conduit dans une pièce où se trouvent ces fameux jouets. Ils ne m'impressionnent aucunement et, surtout, il n'y en a presque pas. Je m'interroge vraiment sur ce que je fais là. L'eau bout, mon hôte insiste pour que je prenne le thé dans sa cuisine.

En revenant dans le couloir, j'ai cru apercevoir quelqu'un dans une pièce voisine, mais, bon, je n'y ai pas porté attention, probablement un adolescent habitant l'appartement avec sa mère. Assis à la table, je remarque qu'elle me prépare un thé avec une poche déjà utilisée ; je me dis que ces gens sont pauvres, alors pourquoi pas ? À la première gorgée, le goût me semble bizarre, pour ne pas dire mauvais. Je décide de partir, mais elle insiste pour que je prenne au moins le temps de boire ma tasse de thé. Je lui rétorque que je dois me rendre à la gare pour acheter mon billet de train. Pour lui faire plaisir, je prends quand même une autre gorgée de ce douteux breuvage avant de passer la porte.

J'aurais dû me méfier...

Petit retour en arrière ; vous vous souvenez que, plus tôt, j'ai écrit :

Il faut se mettre dans la tête que partout où vous voyagez dans des pays étrangers, il y a quelqu'un, quelque part, qui vous surveille... Cette personne saura même se montrer très gentille avec vous. Souvent, elle s'adressera à vous dans votre langue puisqu'il vous a entendu parler...

Voilà le scénario typique d'une arnaque, j'aurais dû me méfier.

Revenons à l'histoire : je marche jusqu'à la gare, mais je ne me sens pas très bien ; en fait, j'ai vraiment les jambes lourdes, ce qui ne m'arrive jamais. Rendu à destination, je m'assois en attendant mon tour, mais je m'endors tellement que je demande au commis d'appeler un taxi pour me ramener le plus rapidement possible à mon auberge. De peine et de misère, je me traîne à ma chambre pour y dormir dix-huit heures d'affilée. Le lendemain, je dois me rendre à l'évidence : on a tenté de m'endormir pour probablement me voler. Comme on dit, je l'ai échappé belle.

De toute évidence, cette femme me surveillait depuis quelques jours et elle savait que j'allais au café Internet régulièrement. J'étais la proie idéale à qui tendre un piège, mais, par chance, ça n'a pas fonctionné. M'enfin, pas cette fois-ci. Ouf !

Chapitre 28

« Fais-moi confiance ! »

Après presque quatre mois de voyage en Russie, en Mongolie et en Chine, je rentre au Québec complètement épuisé. Il m'est arrivé tellement d'aventures dans ces contrées : arrêté par des soldats en Biélorussie et en Russie, tentatives d'empoisonnement en Mongolie. Toutes ces expériences et aventures ont fini par me faire oublier Louise et m'ont même convaincu de rester célibataire. Mais un simple coup de téléphone va changer le cours du destin.

À la mi-octobre 2005, j'ai repris mon travail de conférencier. Mon agenda est déjà rempli pour les douze prochains mois et je planifie déjà un voyage en Asie pour l'été qui vient. Un soir que je suis bien tranquille à la maison en train de lire, le téléphone sonne : « Bonjour, Jacques, je sais que tu es arrivé depuis dix jours. » Cette voix, je ne peux l'oublier, c'est la voix très sensuelle de Loulou, elle me scie les jambes chaque fois que je l'entends. Je fais de mon mieux pour rester distant et je lui dis que s'il n'y a rien de changé dans ses intentions, je préfère pour ma part en rester là.

Pendant cette courte conversation, il y a deux phrases qu'elle m'a dites et qui sont restées dans ma mémoire : « Je ne rencontrerai jamais un autre homme comme toi. »

— Hum… Ça, c'est sûr et certain !

L'autre : « Fais-moi confiance, cette fois ça va marcher. »

Au moment d'écrire ces lignes, sept années plus tard, pour Loulou et moi, c'est le parfait bonheur, nous avons tellement de plaisir ensemble. Nous remercions le destin de nous avoir permis de nous rencontrer à nouveau, après qu'on se soit perdu de vue pendant si longtemps… depuis notre première marche au parc des chutes Wilson à Saint-Jérôme. Aujourd'hui quand je dis à la blague : « Loulou, pourquoi ça t'a pris tellement de temps à te décider ? » Et elle de me répondre : « Oui, mais… Si seulement j'avais su que tu étais si fin ! »

Quelque temps après nous être revus, Loulou et moi marchons sur la rue Sainte-Catherine à Montréal, et je lui dis tout bonnement comme ça : « Si tu me donnes la main, je t'amènerai jusqu'au bout du monde. » Depuis, tous les deux nous sommes allés en Asie et nous avons visité ensemble plus d'une douzaine de pays. Je n'ai pas la prétention de connaître la clef du parfait bonheur en couple, mais je pense qu'une des raisons de notre succès, c'est que nous nous donnons beaucoup d'espace.

Loulou sait que j'ai parfois besoin d'être seul, je me réfugie alors à la maison de campagne. C'est d'ailleurs de là, en toute quiétude, que j'écris ce livre. Loulou sait très bien que j'aime l'aventure en sac à dos, alors elle m'encourage à partir en voyage seul. En fait, elle ne m'a pas accompagné lors mon voyage en Ouzbékistan, elle tenait à ce que je parte cette fois-là en solitaire.

J'ouvre une parenthèse : voyager seul, par opposition à voyager avec quelqu'un d'autre, offre l'avantage d'être plus disponible à des rencontres avec les gens. Mon expérience de voyage m'a permis de constater que les habitants des pays que je visite sont moins hésitants à aborder un touriste seul plutôt qu'un couple. C'est très plaisant de voyager avec Loulou, mais les voyages à deux sont totalement différents.

Passionné de vélo, je pars seul faire le Grand Tour avec Vélo Québec, une semaine à pédaler avec des passionnés de vélo pendant que Loulou passe du temps avec sa fille ou des amies. Bref, nous ne nous étouffons pas, nous nous donnons beaucoup de liberté. Par contre, nous sommes toujours tellement heureux de nous revoir après un bout d'absence ! On a alors tellement d'histoires à se raconter mutuellement. Je le dis à qui veut l'entendre : « Ce sont les plus belles années de ma vie ! »

Chapitre 29

Chine, juin 2008, soixante ans

Lors de mon premier voyage en Chine en 1997, j'arrive via Hong-Kong. L'avion de Cathay Pacifique s'apprête à atterrir à l'aéroport international Kai Tak. De mon hublot, j'ai l'impression d'apercevoir littéralement au bout des ailes de l'avion les Chinois en train de souper dans leurs appartements du centre-ville. C'est totalement ahurissant. Atterrir dans cet aéroport, à l'époque situé au centre-ville, pouvait être très spectaculaire pour les passagers tout en constituant un véritable défi pour le pilote. Selon la piste choisie pour l'atterrissage, l'avion devait passer à très basse altitude au-dessus de zones peuplées de Kowloon. Des conditions d'atterrissage telles que seuls les officiers disposant d'une qualification spéciale, décernée par les services de l'aviation civile hongkongaise, étaient autorisés à utiliser cet aéroport. Il fallait une grande expérience de pilotage pour poser un immense coucou au cœur d'une ville comme Hong-Kong.

Mon vol est l'un des derniers à se poser à Kai Tak, puisque les autorités ont fermé définitivement cet aéroport jugé trop dangereux. Le nouveau complexe aéroportuaire a été construit sur les îles de Chep Lap Kok, presque carrément sur la mer.

Je suis très impressionné par cette ville qui compte la plus grande densité de population au kilomètre carré. Dans le quartier de Mong Kok, la densité de population dépasse les cent mille habitants au kilomètre carré. On a dû construire des « maisons-cages » afin de loger les plus démunis. Des familles complètes y dorment dans des espaces de deux mètres de long, un mètre de largeur et un mètre de hauteur. Des salaires dérisoires combinés à un coût de la vie très élevé ont provoqué de telles conséquences alors que les plus riches contrôlent la richesse collective.

La Chine

Ma compagne, Loulou, et moi sommes en Chine depuis plus d'une semaine. Après avoir visité la magnifique ville de Beijing et son étonnante Cité interdite, nous voilà dans une plus petite ville à la recherche d'une croisière sur le Yanzi Jang, le plus long fleuve d'Asie. En voyageurs autonomes que nous sommes, il n'est pas toujours facile de trouver l'information requise pour obtenir la croisière à un prix avantageux pour nous permettre de voir les Trois Gorges. Il y a plusieurs panneaux-réclames d'agences faisant la promotion de cet attrait touristique, mais malheureusement pour moi, je ne trouve dans aucune de ces agences du personnel pouvant me donner des explications en anglais et encore moins en français. Que faire ? La croisière des Trois Gorges, j'en avais rêvé depuis toujours et, puisque je suis si près du but, je dois absolument trouver une solution pour qu'on y aille.

Alors que nous marchons, j'aperçois de l'autre côté de la rue un couple mixte, un Caucasien avec une femme chinoise. Voilà ce que je cherche. Je me dis qu'avec un peu de chance, une de ces deux personnes parlera l'anglais et l'autre, le mandarin. Je tombe pile, l'homme parle non seulement l'anglais, mais aussi le français, c'est un Suisse. La charmante Chinoise, comme je l'espérais, parle très bien l'anglais, et aussi le mandarin. Après les présentations d'usages, j'explique mon problème à ce couple fort sympathique. La dame réfléchit quelques secondes et elle me dit qu'un de ses amis pourrait m'aider.

Sur son cellulaire, elle parle plusieurs minutes dans sa langue maternelle et finalement, elle m'annonce que mon problème est pratiquement réglé. Quelqu'un qui parle anglais viendra me rencontrer dans le lobby de notre hôtel cet après-midi vers 15 h et, selon elle, je peux lui faire confiance. J'ai des doutes, car je ne connais même pas cette dame que je n'ai rencontrée que quelques minutes auparavant. Mais il me semble que je n'ai rien à perdre à rencontrer son « ami ».

Loulou se repose dans la chambre pendant que, moi, j'attends dans le lobby de l'hôtel. À 15 h pile arrivent deux hommes de nationalité chinoise, très bien vêtus. L'un de deux, je me souviens très bien, porte un beau chapeau, genre européen, ce qui n'est pas fréquent en Asie. Ils se présentent et je me rappelle le nom du premier, celui avec qui je vais négocier notre croisière : il dit s'appeler Mister River. C'est quand même un nom approprié pour vendre une croisière, non ? Dans un excellent anglais, l'homme me fournit tous les renseignements sur une croisière de cinq jours sur le Yanzi Jang. J'apprends qu'il existe toute une panoplie de croisières, allant d'une journée à quinze jours sur le fleuve, avec plus ou moins de confort selon le prix du forfait. Quand, à un moment donné, je demande à Mister River de me montrer des photos du bateau sur lequel nous embarquerons, il demande à la préposée à la réception de l'hôtel la permission d'utiliser son ordinateur. Il y introduit une clef USB contenant toutes les photos du bateau dont il est question. C'est vraiment un beau navire.

Le prix de cinq cent cinquante dollars américains me semble un peu exagéré, mais nous aurons une chambre individuelle, climatisée, et tous les repas sont inclus. Il m'offre en prime le transport de notre hôtel jusqu'au quai où un bagagiste prendra le relais pour les porter à bord. Mais je dois payer d'avance et immédiatement si je veux partir le soir même. Je monte à ma chambre expliquer le tout à ma compagne qui me fait confiance pour la négociation du contrat. Je reviens avec l'argent, Mister River sort de sa mallette le contrat et le place devant moi. Ô surprise, il est écrit en mandarin sans version anglaise. Pour ajouter à mon stress, juste avant que je ne signe et lui remette l'argent, il me dit qu'il a oublié de me charger le montant des assurances ; je dois, si je tiens à faire la croisière, débourser cinquante dollars additionnels. J'ai l'argent en main, je n'ai pas signé le contrat et il est encore temps de reculer. Que faire ?

Malheureusement, les Chinois n'ont pas la réputation d'être les commerçants les plus honnêtes sur la planète. En quelques secondes, je dois juger de la crédibilité et de l'honnêteté de deux inconnus, dans un pays étranger, à qui je vais remettre cinq cents dollars comptant et devoir signer un contrat dont je ne comprends pas un traître mot à l'exception de ma signature. Je me fie à mon instinct qui ne m'a pas (encore !) trompé, je paye et je signe.

Avant de partir avec le magot, Mister River m'explique la procédure à suivre : à 19 h ce même soir, nous devons, Loulou et moi, être dans le lobby avec nos bagages et attendre qu'on vienne nous chercher. Il est finalement 17 h quand je monte à la chambre afin de raconter à ma compagne cette histoire invraisemblable. Loulou est inquiète, mais comme toujours elle me fait confiance. À 18 h 45, nous sommes déjà dans le lobby à attendre. À 19 h, il n'y a personne ! Est-ce qu'on s'est fait monter un bateau (c'est le cas de le dire) ? À 19 h 15, voyant que personne ne vient, je sors la carte professionnelle qu'on m'a remise en après-midi, j'emprunte le téléphone de l'hôtel et je demande à parler à Mister River. Personne au bout de la ligne téléphonique ne parle l'anglais et ne semble connaître ce Mister River. À 19 h 25, ma compagne et moi, nous nous regardons l'air un peu triste et désolé quand, soudain, on me demande de venir au téléphone. Une voix de jeune fille me dit : « *Mister Leclerq, please wait, wait much traffic, much trafic.* » Nous reprenons espoir.

À 19 h 30, arrive enfin une toute jeune fille (les Chinoises ont toutes l'air jeunes), grosse comme une allumette, mais très énergique. Elle ramasse les bagages de Loulou et nous dit : « *Nehow, quik quik, bus outside, quik quik.* » Nous nous regardons en riant discrètement avant de suivre la guide. Quelques minutes plus tard, un bagagiste prend nos valises sur le quai et nous accompagne jusqu'à notre cabine sur un magnifique bateau de croisière. Ce sera la première croisière de Loulou et cinq jours de pur bonheur.

Notre chambre est très confortable et après une bonne nuit de sommeil, nous nous rendons à la salle à manger pour le petit-déjeuner. Le préposé à l'accueil nous assigne une table et, à notre grand étonnement, nous nous rendons compte que nous sommes les seuls Occidentaux sur le bateau.

Heureusement, à notre table, nous faisons la connaissance de Chinois parlant parfaitement l'anglais. En fait, la plupart des gens qui sont là n'habitent plus en Chine. La grande majorité d'entre eux vivent aux États-Unis. Nous faisons connaissance avec des gens très intéressants. Puisqu'ils s'expriment parfaitement en anglais, je profite de l'occasion pour parfaire mes connaissances sur ce peuple difficile à cerner. Je suis étonné de constater que ces Américains d'origine chinoise me parlent ouvertement de leur pays d'origine ainsi que du gouvernement chinois. J'apprends avec un certain étonnement qu'il n'y a pas plus capitaliste qu'un gouvernement communiste! Les Chinois vivant à l'étranger adorent visiter leur pays, ce sont d'ailleurs eux qui constituent le plus grand nombre de touristes à visiter la Chine.

C'est connu de tous que les Asiatiques aiment prendre des photos. Ce que nous ne savions pas, c'est qu'ils adorent prendre des photos avec des étrangers. Alors pendant ces cinq jours de croisière, Loulou jouera au mannequin. Avec leur politesse légendaire des couples chinois et, surtout, des femmes nous approchent et nous demandent, tellement gentiment, la permission de prendre des photos en notre compagnie. En fait, je devrais dire avec Loulou. Grande Caucasienne aux cheveux blonds, ma compagne ne passe pas inaperçue aux yeux des Asiatiques. C'est avec grand plaisir que Loulou se prêtera à ce petit jeu.

Avec ses nombreux bateaux naviguant entre les falaises sur le Yangzi Jiang, les Trois Gorges offrent un spectacle extraordinaire aux touristes. C'est tout simplement splendide! Les bateaux s'arrêtent à différents endroits afin de permettre aux voyageurs de gravir des collines et de visiter des pagodes ou des temples accrochés au flanc des montagnes. Parmi les arrêts, il y a bien sûr l'incontournable visite au barrage des Trois Gorges. La sortie est impressionnante!

Selon Wikipédia, c'est le plus grand barrage hydroélectrique au monde. La centrale électrique produit environ quatre-vingts térawattheures d'électricité par an soit plus que l'ensemble du complexe La Grande au Québec. C'est cette installation qui fournit l'électricité à toute la ville de

Shanghai. Le côté négatif: expulsion de près de deux millions d'habitants sans aide de l'État, engloutissement de sites historiques et de nombreux villages et villes. Sans compter les conséquences sur l'environnement: à cause du barrage, le dauphin du Yangzi Jiang est officiellement devenu une espèce disparue vers les années 2000.

Chapitre 30

Kolkota, Inde, septembre 2009, soixante et un ans

Une énième fois en Inde

Je ne compte plus mes voyages en Inde tellement ce pays m'attire et me repousse en même temps. En sortant de l'aéroport, je cherche à comprendre ce qui m'attire dans un pays où plus d'un milliard d'êtres humains se battent pour une bouchée de pain. Dehors c'est le chaos, l'anarchie. Ma voiture tente de se frayer un chemin entre les rickshaws, les vaches sacrées, les autobus, les Mercedes et les charrettes tirées par des bœufs. Aussitôt descendu de voiture, je suis assailli par les odeurs de gaz d'échappement et d'ordures.

Mais il y a aussi un mélange d'encens, d'odeurs d'épices, de soupe aux lentilles et de poulet tandouri tout juste sorti du four. J'adore m'arrêter dans des petits restos indiens et manger avec eux un *thali*[1] avec du *nan* (pain indien). Mon ami, Paul Unterberg, qui est allé en Inde près d'une trentaine de fois, m'a dit un jour: « Les touristes qui vont en Inde pour la première fois n'aimeront pas ce pays. Il faut aller plusieurs fois, deux fois au moins, dans ce pays pour commencer à l'aimer. » Il a bien raison. Pour un touriste habitué aux plages de la République dominicaine, l'Inde est loin d'être un Club Med.

---

1. Selon Wikipédia, le *thali*, typiquement indien, est un assortiment de plats servis généralement dans de petits récipients en métal disposés sur un plateau rond, également en métal. Le prix en est généralement modeste et les plats nourrissants. Comme la tradition indienne n'utilise pas de couverts, on mange de fait avec la main droite.

À moins de s'enfermer à double tour dans sa chambre d'hôtel, et encore, il est impossible de trouver le silence dans les villes surpeuplées et polluées de l'Inde. Des camions de marque Tata, décorés de couleurs psychédéliques, foncent dans les rues en klaxonnant hystériquement. Dans la ville de Kolkota où je suis présentement, il y a des fils électriques qui pendent de partout jusque dans la rue, des panneaux publicitaires énormes annonçant le prochain film à l'eau de rose des vedettes de Bollywood. Je monte dans un pousse-pousse tiré par un « homme-cheval », ce qui me rappelle le livre de Dominique Lapierre et Collins *La cité de la joie*. Je ne pouvais rater l'occasion de visiter les orphelinats de mère Teresa où j'ai rencontré des jeunes filles qui viennent de partout à travers le monde travailler bénévolement afin de soulager la misère des filles-mères qui, autrement, abandonnent leurs enfants à l'orphelinat parce qu'elles ne peuvent les nourrir.

L'Inde est le pays de tous les paradoxes. Comment un peuple si accueillant avec les étrangers rejette-t-il si brutalement les moins nantis, les intouchables? Comment comprendre que des gens si polis et dévoués à leurs parents rejettent systématiquement leur mère après la mort du mari? Il n'y a aucune place pour les veuves en Inde. Pourquoi dans ce pays la vache a-t-elle plus d'importance que la femme? Pourquoi le premier-né de la famille doit-il être un garçon? Une bonne partie des réponses se trouve dans l'hindouisme.

L'hindouisme, une des plus vieilles religions du monde, repose sur un système de castes. En effet, selon les principes de cette croyance, à sa mort l'homme revient sur terre sous forme humaine ou animale, c'est la réincarnation. S'il s'incarne sous la forme d'une vache, ce sera son dernier séjour (karma) sur terre. Après sa mort, il accédera au nirvana. La vache, vénérée comme une mère, et tout ce qui concerne cet animal sont donc considérés comme purs. Même ses excréments qu'il est toutefois permis d'utiliser comme combustible, comme je le disais plus tôt.

Dans la religion hindouiste, la vache est le symbole de la richesse, de la force, de l'abondance, de l'altruisme et d'une vie réussie sur terre.

La culture indienne s'appuie sur le concept du « dharma », l'ordre fondé. Cet ordre (ou loi) représente pour l'hindou une forme de justice spirituelle. La caste dont vous faites partie à votre naissance reflète votre vie antérieure. Si elle a été conforme, vous avez de bonnes chances de revenir sur terre en haut de la hiérarchie, là où se trouvent les brahmanes, les prêtres. Ce sont les détenteurs du devoir sacré. Viennent ceux qui ont le pouvoir, les *kshatriyas*. Suivent les *vaishya*, les commerçants, les industriels et les bourgeois. Encore plus bas dans la hiérarchie, il y a la masse des paysans, les journaliers, les artisans, les *shudras* et, finalement, tout en bas, on retrouve les *harijans*, les intouchables ou parias. Les hindous les plus croyants n'ont aucun respect pour les intouchables parce que (toujours selon la croyance) ces gens se sont conduits en mauvaises personnes dans leur vie antérieure et ils ont donc mérité ce statut.

Par contre, si dans ce dernier état ils font désormais preuve de bonne conduite, ils pourront se réincarner plus haut dans l'échelle. Je dois préciser que la discrimination selon le système des castes est désormais interdite par la constitution de l'Inde depuis l'indépendance en 1947. Mais cette prohibition n'est que théorique : comment rompre avec un système vieux de trois millénaires ? En effet, beaucoup d'Indiens sont très attachés à leurs valeurs, c'est-à-dire, à l'hindouisme et aux castes. Pour ma part, je crois qu'abolir le système des castes reviendrait à détruire l'Inde tout simplement, puisque la religion hindouiste est le seul lien unificateur de toute la nation. Fait étonnant, même les hindous des castes inférieures, en bons croyants, acceptent leur karma et n'aspirent pas à un statut supérieur. C'est possiblement pour cette raison que, malgré une population quatre fois plus élevée que les États-Unis d'Amérique, l'Inde demeure un des pays les plus sécuritaires pour le tourisme. Les hindous sont plutôt portés à vous aider qu'à vous dévaliser.

À la suite des cas, très médiatisés, de viols collectifs à New Delhi et ailleurs dans ce pays, il est désolant par contre de remarquer que l'attitude des autorités n'a pas tellement changé depuis cinquante ans. Lors de la partition de l'Inde en 1947, le viol était un crime répandu. C'était une forme de revanche de la part d'adversaires et les femmes en payaient le fort prix. Le problème continue.

« Je supporte la peine de mort pour les violeurs de Delhi, mais il devrait aussi y avoir une loi selon laquelle les femmes ne devraient pas porter moins de vêtements et ne devraient pas sortir avec des garçons qui ne sont pas de leur parenté.[1] »

Ces paroles d'un haut dirigeant d'un parti politique indien prouvent ce que je mentionne dans ma conférence sur l'Inde à savoir que ce pays est un des pires endroits dans le monde pour la condition de vie des femmes. Un indice de l'ONU en 2011 a combiné des données sur l'éducation des femmes et l'emploi, la présence des femmes en politique, la santé sexuelle et les conditions de maternité, etc. Ce rapport a classé l'Inde 134e sur 187 pays, pire que l'Arabie saoudite, l'Irak et la Chine.

Retour au Maroc en 2011

Comme mentionné précédemment, je suis retourné au Maroc en septembre 2011 avec ma compagne, Loulou, et un couple d'amis de longue date, Florent et Jocelyne, de Dunham en Estrie. J'ai préparé un circuit qui nous fera voir les points les plus intéressants du pays. Je tenais à me rendre à El-Jadida voir la fameuse citerne portugaise que je n'avais pas eu l'occasion de visiter lors de mon premier voyage dans ce pays. Cette ville est située à une heure de route de l'aéroport de Casablanca.

Comme nous arrivons en pleine nuit, comme d'habitude j'ai réservé une première nuit dans un hôtel et demandé qu'une voiture de l'établissement vienne nous chercher à l'aéroport. C'est plus prudent que de prendre n'importe quel taxi à la sortie. Malheureusement, pour des raisons inconnues, le chauffeur demandé ne se présente pas. Nous sommes là, tous les quatre, à attendre à l'extérieur de l'aéroport. Une heure plus tard, il faut bien se rendre à l'évidence que personne ne viendra nous chercher. Il faut donc nous

1. Abu Asim Azmi, président du parti Maharashtra Samajwadi

débrouiller par nos propres moyens et tenter de trouver un chauffeur avec une voiture assez fiable pour nous amener jusqu'à El-Jadida. Nous trouvons, finalement, un chauffeur au volant d'une vieille Mercedes 1984. Je vérifie toujours les pneus (c'est une vieille habitude que j'ai prise en Inde), car je ne tiens pas à installer une roue de secours en pleine nuit sur une autoroute du Maroc.

Après avoir négocié le prix du transport jusqu'à El-Jadida, nous montons dans ce qui semblait être la moins mauvaise des voitures encore disponibles. Je m'assois en avant pendant que mes amis s'assoient sur la banquette arrière. Le moteur gronde comme un vieux tracteur, mais enfin cette Mercedes, même vieille de trente ans, devrait nous amener à bon port. Nous roulons sur l'autoroute par une nuit d'encre quand, tout à coup, je remarque que la voiture qui nous suit commence à faire des appels de phares. Je n'en tiens pas compte jusqu'à ce que notre chauffeur réponde à un appel sur son téléphone cellulaire. Aussi soudainement que de façon imprévisible, notre voiture et celle qui nous suit s'arrêtent en bordure de la route. Le chauffeur nous quitte sans s'excuser, encore moins s'expliquer, nous laissant là tout bonnement à nos réflexions, des réflexions qui ne sont pas nécessairement positives, c'est le moins que je puisse dire. Inutile aussi de vous dire qu'il y a un début de panique sur la banquette arrière.

Mon ami, Florent Blanchard, qui vient de prendre sa retraite après trente-quatre années à la Sûreté du Québec, dit le plus simplement du monde ce que nous pensons tous : « Ça sent l'arnaque. » Tout en tenant la main de Loulou, je tente de rassurer tout le monde en disant qu'il n'arrivera rien. On n'est pas en Amérique et les normes de conduite des chauffeurs de taxi en Afrique du Nord n'ont rien à voir avec les nôtres. Je me sens un peu responsable de mes amis et je tente de les calmer du mieux que je peux pendant que notre chauffeur ne semble pas pressé de revenir derrière son volant. Après une dizaine de minutes qui nous a semblé une éternité, il revient s'installer dans son véhicule, sans piper un seul mot, comme si c'était tout à fait normal de s'arrêter sur une autoroute en pleine nuit, avec des passagers, afin de placoter avec un bon ami ! Nous reprenons la route, pas tellement rassurés. Il nous reste plus de quarante-cinq minutes avant d'arriver à destination. Nous y arrivons finalement sans autre pause. Vous comprenez maintenant pourquoi je demande toujours à l'hôtel qu'on vienne me chercher à l'aéroport. Ça évite des situations qui peuvent être angoissantes.

Le voyage s'est poursuivi par la suite dans une atmosphère beaucoup plus détendue. Après avoir visité les villes impériales, pour la deuxième partie de notre voyage, nous avons loué une voiture avec un chauffeur non seulement gentil, mais surtout, très responsable. Le clou de ce voyage fut une randonnée à dos de dromadaire dans le désert du Sahara à Merzouga. De l'avis de mes amis Florent et Jocelyne, nous aurions pu y rester quelques jours de plus tellement cet endroit était magnifique et reposant. Finalement, nous reprenons la route vers Marrakech, surnommée la ville rose.

Chapitre 31

Ouzbékistan, septembre 2012, soixante-quatre ans

Au pays du dépaysement

À la fin du mois d'août 2012, j'annonce à mon fils aîné que je pars dans quelques jours pour aller en Ouzbékistan. Sa réaction immédiate a été de me dire: « Papa, qu'est-ce que tu vas faire en Ouzbékistan, c'est dangereux de se rendre dans des pays comme ça. » Sa réaction est tout à fait normale, c'est l'*istan* qui fait peur. Les gens associent cet affixe à l'Afghanistan, au Pakistan, et même aux talibans. Dans la réalité, l'Ouzbékistan ne ressemble en rien à tous ces pays qui abritent des terroristes. Lors de ma visite dans ce pays, j'y ai trouvé des habitants instruits et qui vivent à l'ère moderne avec ordinateur portable, tablette et iPhone. Paradoxalement, j'ai remarqué qu'il y a plus de femmes voilées à Montréal qu'à Tachkent, la capitale de ce pays.

J'ai eu le plaisir d'être invité dans ce pays par une des agences touristiques qui, par le biais de mes conférences, désire faire la promotion du tourisme dans son pays. Je suis attendu à l'aéroport par un guide-interprète, voiture privée avec chauffeur. L'agence en question m'a réservé des chambres dans les plus beaux hôtels des villes que je vais visiter. Je dois avouer que ce n'est pas le genre de voyage que j'ai l'habitude de faire. M'enfin, je suis traité avec tous les honneurs d'un visiteur de marque. Je dois avouer que l'hospitalité des habitants de ce pays n'a rien de comparable au monde. Partout où je vais, que ce soit dans la grande ville ou le moindre village de campagne, on déroule le tapis rouge pour moi. Toute une différence avec mon voyage en Russie!

Si l'Ouzbékistan est aujourd'hui le deuxième exportateur de coton au monde, il fut autrefois un passage obligé de la route de la soie. Cette fameuse voie désigne un réseau ancien de routes commerciales entre l'Asie et l'Europe. Elle tire son nom de la plus précieuse marchandise qui y transitait: la soie. Ses plus anciens vestiges remontent au milieu du premier millénaire av. J.-C. Elle fut la voie de diffusion vers l'Occident de découvertes chinoises majeures: boussole, poudre à canon, papier-monnaie et imprimerie. Les villes que je visite, tel que Boukhara, Samarcande et Tachkent étaient des lieux de rencontres et de commerce pour les caravanes parties de la Chine ou de la Perse. Fait intéressant pour le tourisme, le pays est riche en monuments historiques. La ville de Samarcande a été proclamée en 2001 par l'UNESCO carrefour de cultures et site du patrimoine mondial. La place de la Résistance, située au centre-ville, est une des plus impressionnantes au monde. Marco Polo écrivait déjà, en 1285, sur Samarcande: « C'est une des plus grandes, des plus belles et des plus magnifiques cités du monde. »

Mon guide Sukhrob est tout un personnage. Ce jeune homme de vingt-quatre ans parle en plus de sa langue maternelle, l'ouzbek, l'anglais, le français, le russe et l'espagnol. Il connaît l'histoire de son pays sur le bout de ses doigts et il a un sens de l'humour assez développé. Après avoir dormi dans les plus beaux hôtels du pays, je lui demande s'il est possible d'aller dans les villages et, si possible, de dormir chez l'habitant. Même si on est un peu étonné par ma demande, tous mes souhaits sont exaucés.

Accompagné de mon ange gardien, je me rends dans un bled perdu au milieu des montagnes, où habite un vieil ami qu'il a connu à l'université. Ce dernier est professeur de français à l'école régionale. Après un copieux repas, nous nous rendons à une fête au village, où l'on a organisé un genre de shower pour une jeune mariée. Je suis reçu par les gens comme une vedette de cinéma. En fait, il y a là des villageois qui n'ont jamais vu d'étrangers. L'accueil des Ouzbeks est incroyable, ce sont des gens chaleureux et généreux. Je suis traité comme un invité d'honneur, les gens veulent une photo avec moi, on m'invite à danser et, finalement et difficilement, je dois rentrer à la maison puisque le lendemain, à ma suggestion, on fera un trek de vingt-cinq kilomètres dans les montagnes.

De village en village où on passe, je reçois le même accueil chaleureux. Les habitants m'interrogent et mon guide fait la traduction. On discute en mangeant un *plov*, le mets traditionnel du pays, la version exotique (et originale) de notre riz pilaf. Je remarque que la vie des habitants de la campagne est beaucoup plus difficile qu'à la ville. Les maisons n'ont pratiquement pas de chauffage, et les pannes d'électricité sont fréquentes. Les habitants recueillent la bouse de vache comme principal combustible. Le peuple ouzbek est un peuple croyant, mais pas du tout fanatique. Toujours accompagné de Sukhrob, je me rends escalader une montagne afin de visiter une grotte sacrée. Selon la tradition, c'est à cet endroit que le prophète Daniel serait décédé. Je vois de vieilles dames souffrir en montant des centaines de marches afin de se rendre prier dans ce lieu sacré. Je ne peux m'empêcher de penser qu'il y a encore quelques décennies, des milliers de Québécois faisaient un pèlerinage semblable à l'oratoire Saint-Joseph de Montréal et montaient les centaines de marches à genoux afin de s'attirer les bonnes grâces de Saint-Joseph. Il me faut dire que la croyance religieuse ou la foi constitue pour moi un véritable phénomène, et ce, dans toutes les sociétés.

En route vers un petit village de yourtes plantées au cœur du désert de Kizil-Koum nous apercevons au loin un attroupement de villageois. En nous approchant, nous arrivons devant une arène de combat de boucs. Nous voyant arriver, les hommes (il n'y a pas de femmes dans ces endroits) nous invitent à nous approcher. Ne connaissant rien à ce rituel ni à ces animaux, je m'approche d'un bouc quand je sens une main me soulever littéralement de terre et me traîner à l'écart. L'homme m'informe en riant que ces animaux sont entraînés pour tuer. S'il m'avait attrapé, il aurait pu très facilement d'un coup de tête me fracturer les côtes ou le bassin. Quand, quelques minutes plus tard, j'aurai assisté aux combats de boucs, je me suis dit que je l'avais échappé belle une fois de plus!

Nous arrivons, Sukhrob et moi, à la salle de réception. Je suis allé m'acheter des souliers neufs pour l'occasion. Mon ami guide est beau comme un jeune prince. Au son de la musique des *karnay* (un instrument de musique traditionnelle ouzbek), nous entrons dans l'immense salle où sont déjà installées près de mille personnes. Inutile de dire que c'est très intimidant pour un étranger. Sukhrob m'accompagne à une table où l'attendent plusieurs de ses amis d'université. Encore là, l'accueil est des plus chaleureux, la majorité de ses amis parlent un anglais compréhensible et ils en profitent pour le pratiquer avec moi.

Tout à coup, le son de la musique monte d'un cran et les mariés font leurs apparitions. Ce n'est pas un couple, mais deux couples qui vont se marier en même temps. Puisqu'on ne voit plus depuis longtemps ce genre d'événements, ici, au Québec, je suis très impressionné, je dirais même, ému. Un des mariés est un ami de collège de Sukhrob. Contrairement à ce qu'on pourrait croire, les mariages ouzbeks ne sont pas arrangés par les parents. Les jeunes garçons et filles se fréquentent quelques années, mais, comme ils ne peuvent avoir de relations sexuelles avant le mariage, il arrive souvent que les fréquentations soient de courte durée.

Assis à la table des jeunes hommes, je remarque que ceux-ci fument et boivent de l'alcool, ce qui est formellement interdit par la religion musulmane. Quand je les interroge sur le sujet, ils éclatent de rire. Ces interdictions sont pour leurs parents, me disent-ils: «Nous, on est jeune et on profite de la vie.» Un autre fait attire mon attention: les femmes sont assises ensemble et les hommes font de même. Il y a bien quelques couples par-ci par-là, mais c'est plutôt rare. Ce n'est pas une règle, mais tout simplement une habitude qui est probablement appelée à changer au fil du temps.

Le voyage terminé, le propriétaire de l'agence Xuroson-Tour, monsieur Nozim, ainsi que mon guide-interprète, Sukhrob, viennent me reconduire à l'aéroport. La séparation est triste. Jamais je n'oublierai un accueil aussi chaleureux dans un pays aussi magnifique. En quittant mon ami Sukhrob, je lui ai fait cette promesse: «Je viendrai à ton mariage, tu n'auras qu'à me donner la date et je serai là avec ma compagne Loulou.»

Si j'ai éveillé votre curiosité de visiter un pays totalement inconnu des Québécois, n'hésitez pas à communiquer avec moi. J'aimerais accompagner un petit groupe dans ce pays merveilleux et très accueillant.

Chapitre 32

Peuples, pratiques et croyances

Tour du monde… Différents peuples, différentes croyances

Je présente une conférence qui s'appelle : « Tour du monde… Différents peuples, différentes croyances ». Dans cette causerie, je fais part de mes réflexions sur les habitudes de vie des gens qui vivent ailleurs sur la planète : leurs croyances, leurs religions, leurs cultures. En voici quelques-unes que j'aborde habituellement.

Tibet

Au Tibet résonne l'écho du *ragdune*, un cor de trois mètres et demi d'où s'échappent des sonorités longues et monotones répercutées par les collines avoisinantes. Les sons produits par cet instrument attirent l'attention des vautours. En peu de temps, le ciel s'emplit de ces oiseaux attirés par le festin qui les attend. Pour les moines tibétains qui les ont appelés, ils sont les envoyés de Dieu.

Les Tibétains ont conservé l'antique rite de la plate-forme surélevée pour faire en sorte que leurs morts rejoignent le ciel. Après un dernier adieu des parents à l'être aimé, la dépouille mortelle est exposée à l'air libre et dévorée par les oiseaux. Cette cérémonie a lieu quotidiennement dans les principaux monastères de l'Himalaya. Les vautours qui survolent la région connaissent parfaitement ce rite.[1]

1. Note de l'éditeur : certaines des premières nations nord-américaines pratiquaient aussi ce rituel.

Jusqu'en 1951, le Tibet fut une théocratie (une forme de gouvernement où l'autorité émane de Dieu) dirigée par un dalaï-lama. Les Tibétains vénèrent ce dernier comme un dieu, car il est pour eux l'incarnation de la compassion. Dalaï-lama signifiant « océan de sagesse », il est responsable de la protection du Tibet et du peuple tibétain.

Après le décès d'un dalaï-lama, des moines et maîtres spirituels se livrent à une enquête pour rechercher sa réincarnation. Des oracles sont souvent consultés. Les enfants candidats sont interrogés pour rechercher des signes tels que la reconnaissance d'objets possédés par le précédent dalaï-lama. Le jeune *tulku* (réincarnation d'un maître) est alors amené dans un monastère pour y recevoir les enseignements bouddhiques. En fait, les moines repèrent plusieurs *tulkus* qui seront cloîtrés jusqu'à ce qu'on identifie le véritable dalaï-lama. Plusieurs de ces garçons choisis ne vivront pas jusqu'à leur majorité (voir biographie non autorisée du dalaï-lama de l'auteur Gilles Grasdorff).

Avant l'arrivée des Chinois au Tibet, le peuple tibétain était traité comme de véritables serfs par le clergé bouddhiste et une élite monastique parasitaire.

Dans les pays où l'on pratique le bouddhisme tibétain, les habitants utilisent le moulin à prières. Le modèle traditionnel est constitué d'un cylindre rempli de mantras tournant sur son axe. Selon les croyances associées à cet objet, faire tourner un tel moulin a la même valeur spirituelle que de réciter la prière, censée se répandre ainsi dans les airs comme si elle était prononcée.

Un moulin contient douze feuillets comportant chacun quarante et une lignes de textes. Chaque ligne reprend soixante fois la formule *Om Mani Padmé Hûm*. Ce qui fait un total de presque trente mille prières. En faisant tourner soixante fois par minute le moulin, on adresse ainsi trois millions et demi de prières par minute au ciel. Au Tibet, de grands moulins à prières en bois sont actionnés par des cours d'eau. Grâce à la puissance hydraulique, ils élèvent sans fin les prières vers le ciel.

Dans un autre procédé, des moulins géants sont disposés en longue série et mis en mouvement l'un après l'autre par le fidèle qui passe devant eux. Il utilise sa main droite pour faire tourner les moulins. L'instrument doit toujours tourner dans le sens des aiguilles d'une montre afin que le mantra soit lu dans le sens où il a été écrit.

Qui lit les prières quand elles sont rendues au ciel?

Ladakh

Le Ladakh est une région du nord de l'Inde. Si dans presque toutes les régions de ce pays les mariages sont, encore aujourd'hui, arrangés, ce n'est pas le cas au Ladakh. Non seulement les jeunes femmes ont le loisir de choisir leurs maris, mais, de surcroît, elles épousent en même temps les frères de l'homme choisi. C'est ce qui s'appelle la polyandrie : l'état d'une femme qui est mariée à plusieurs hommes. Il faut mentionner aussi qu'au Ladakh c'est le régime matriarcal qui prévaut : le pouvoir (la terre) est détenu par les femmes et seules les femmes vont hériter de la terre ainsi que du bétail.

Mongolie

Le territoire de la Mongolie est immense, mais possède très peu de terres arables, le pays étant montagneux et couvert de steppes. Près de trente pour cent des deux millions huit cent mille habitants sont nomades ou semi-nomades. Les familles mongoles vivent dans des yourtes et ils se déplacent continuellement avec leurs troupeaux de yaks, de chèvres et de chameaux. Le déménagement est facile, car une yourte peut être montée ou démontée en seulement trente minutes.

La yourte est toujours érigée et décorée selon le strict respect des coutumes. Elle est divisée en deux parties : à l'ouest, la section des hommes, et à l'est, celle des femmes. Les lits sont placés de chaque côté de la yourte, au nord de l'espace réservé au stockage. On pénètre dans la yourte toujours du pied droit sans heurter le seuil. Le peuple mongol est très accueillant. Dès qu'un étranger pénètre dans la yourte, on lui offre de la nourriture et de la vodka, et refuser cet honneur est très mal vu. J'ai eu le privilège de voyager quelque temps avec les nomades de la Mongolie et j'en ai gardé un souvenir impérissable.

Thaïlande

Une des fêtes les plus importantes en Thaïlande est le Songkran, qui marque le début de la saison des pluies. Comme dans la majorité des pays asiatiques, en Thaïlande, l'eau est synonyme de chance. Le premier geste que pose un commerçant en ouvrant sa boutique tôt le matin consiste à arroser la devanture de son commerce. Par ce geste, il prétend attirer la chance et, bien entendu, les clients afin de faire de bonnes affaires. Pour bien fêter le Songkran, la coutume veut que les habitants de la Thaïlande s'arrosent avec n'importe quel objet qu'ils ont sous la main : une bouteille, grande ou petite, un pistolet à eau, ou même un boyau d'arrosage. Alors, si un jour vous êtes dans ce pays lors de cette fête, ne soyez pas étonné si des gens lancent de l'eau sur vous. Ce n'est pas qu'ils ne vous aiment pas, c'est tout simplement qu'ils vous souhaitent de la chance. D'ailleurs, les autorités thaïlandaises ont dû interdire ces manifestations de joie dans la capitale, Bangkok, parce que les Thaïlandais s'arrosaient avec des boyaux d'arrosage, provoquant ainsi de nombreux accidents de voiture, mais surtout des accidents de motos, dans la ville.

La tribu Padaung

La tribu Padaung, aussi connue sous le nom de *tribu des longs cous*, est une minorité ethnique tibéto-birmane du Myanmar, mais qui vit en Thaïlande (à la frontière nord) à cause du conflit avec le régime militaire birman. Cette ethnie du peuple Karenni vit dans des villages, qui sont devenus des sites touristiques à cause d'une coutume assez particulière. En effet, on fait porter aux femmes un collier-spirale en laiton enroulé autour du cou. D'où le nom de la tribu.

Selon la tradition, c'est autour de l'âge de cinq ans que les fillettes reçoivent leur premier collier-spirale et celui-ci est remplacé par une spirale plus longue au fur et à mesure de leur croissance. Une seule fille par famille est choisie et, selon la rumeur, cette chanceuse recevra une dot plus élevée lors de son mariage.

Beaucoup d'hypothèses ont été émises sur la raison du port de ces colliers-spirales, mais sa véritable origine reste encore un mystère. Aujourd'hui, c'est non seulement pour perpétuer cette tradition que ces colliers-spirales sont toujours portés, mais c'est aussi parce qu'ils représentent l'identité culturelle de cette ethnie.

Certains bien-pensants et journalistes occidentaux conseillent aux touristes de ne pas aller visiter ces villages (en Thaïlande) des tribus à long cou sous prétexte que c'est encourager une forme d'esclavage. Ces gens qui ne connaissent absolument rien à l'histoire des tribus karen prétendent que ces femmes sont exploitées et exhibées comme des bêtes de zoo. Ils n'ont pas compris que cette tradition existait bien avant l'explosion du tourisme de masse et qu'elle se perpétuerait même si les touristes boudaient leurs villages.

Quand il n'y aura plus de femmes portant le sari en Inde, quand il n'y aura plus de geishas au Japon, quand il n'y aura plus de barongs en Indonésie, quand il n'y aura plus de cérémonie du kava aux îles Fidji, que restera-t-il de leur culture?

Un jour que j'étais à déjeuner à Bangkok, j'entends dans le restaurant de la musique américaine. Je demande au serveur pourquoi ne pas faire jouer de la belle musique thaïlandaise. Je n'ai pas besoin de venir en Thaïlande pour entendre Madonna, que je lui dis. Il me répond tristement que c'est pour faire plaisir à leur clientèle touristique! Ce qui est triste dans cette anecdote, c'est qu'il a tellement raison, j'ai vu des touristes partout en Asie aller manger dans des restaurants McDonald's. Triste, n'est-ce pas?

Les pays arabes et musulmans

On désigne par pays arabe un pays dont la langue parlée est majoritairement l'arabe. Nonobstant la langue et la religion musulmane, ces pays n'ont absolument rien d'autre en commun. Ils forment un immense territoire, un peu plus grand que le Canada. Près de trois cents millions de personnes y vivent. Le monde arabe est divisé en deux : les pays producteurs de pétrole et les non-producteurs. Bref, il y a des inégalités vertigineuses entre les deux. Le Qatar est au deuxième rang des pays les plus riches du monde. Le Maroc et l'Égypte sont parmi les plus pauvres.

Il faut retenir que quatre-vingt-quinze pour cent des Arabes sont musulmans et que seulement vingt-huit pour cent des musulmans dans le monde sont arabes. Le premier pays dans le monde à majorité musulmane pour le nombre de croyants est l'Indonésie. L'islam se répartit en plusieurs courants, notamment le sunnisme, qui représente un peu plus de quatre-vingts pour cent des fidèles et le chiisme, rencontré principalement en Irak et en Iran. À noter que ces deux clans se détestent au point de s'entre-tuer constamment.

Les piliers de l'islam sont les devoirs incontournables que tous les musulmans doivent effectuer. Un de ces devoirs est le hadj, le pèlerinage à La Mecque, qui doit être fait au moins une fois dans sa vie, si on en a les moyens matériels et physiques.

La Mecque est une ville de l'Arabie saoudite. C'est le lieu de naissance du prophète de l'islam, Mahomet, et au cœur de la mosquée Masjid Al-Haram est abritée la Kaaba. C'est la mosquée sacrée, le premier lieu saint de l'islam.

La Kaaba est un cube de douze mètres sur douze mètres et d'une hauteur de quinze mètres. Selon la croyance musulmane, elle fut construite par Adam, premier prophète et premier homme sur terre, et fut reconstruite par Ibrahim (Abraham) et son fils Ismaël. Une pierre noire est encastrée dans l'un des angles de la Kaaba. Selon la tradition, cette pierre noire proviendrait du paradis et elle aurait le pouvoir surnaturel d'absorber les péchés des hommes qui la touchent.

Charia

Il est important pour tout voyageur qui entre dans un pays musulman de savoir si le pays en question est une République islamique ou simplement un pays où l'on pratique l'islam. Il y a une énorme différence entre les deux. Dans une République islamique comme l'Arabie saoudite ou l'Iran, c'est la charia qui est à la fois la religion d'État et la base du droit. On coupe la main aux voleurs, c'est la lapidation pour les femmes adultères, etc. Elle est l'unique source de références pour l'interprétation de l'une quelconque des lois du pays. Selon le Coran, il n'y a aucune loi au-dessus d'Allah. C'est cette interprétation du livre saint de l'islam qui constitue une difficulté d'adaptation des musulmans pratiquants qui émigrent dans des pays laïcs comme le Canada.

La différence entre un fanatique religieux et un scientifique : un scientifique lira des centaines de livres au cours de sa vie, mais sera toujours persuadé qu'il lui reste encore beaucoup à apprendre. Un fanatique religieux n'en lira qu'un seul et sera persuadé d'avoir tout appris.

Inde, Kumbh Mela

La Kumbh Mela est un pèlerinage hindou vers les lieux saints se produisant quatre fois tous les douze ans. Y prennent part plusieurs millions de personnes, ce qui en fait probablement le plus grand pèlerinage de la terre. On estime que, lors de la dernière Kumbh Mela, soixante-quinze millions de personnes se sont succédé sur les rives du Gange en trois semaines. Imaginez l'infrastructure sanitaire nécessaire à un pareil événement. Ouf !

L'historique de cette fête se trouve dans des fêtes qui ont pour but d'attirer les faveurs des dieux. Organisées au début des semailles, il s'agit de cérémonies au cours desquelles des pots de grains sont trempés dans les eaux des fleuves sacrés et mis à germer. Parmi tous les fleuves de l'Inde, plusieurs sont considérés comme sacrés et font l'objet de pèlerinages à certains endroits. Le Gange et l'Indus sont de ceux-là.

Je me dois de mentionner qu'aujourd'hui, la Kumbh Mela attire un nombre important de curieux, de voyeurs, de touristes, et même de médias à travers le monde, qui n'ont rien à voir avec les saintes intentions à l'origine de ce pèlerinage.

Épilogue

Je pense qu'il est approprié d'exprimer mon opinion sur le rôle des religions et de leurs symboles dans une société qui se veut laïque et sur le multiculturalisme canadien.

Au début de chacune de mes conférences, je mentionne toujours: « Cette conférence est présentée à titre de divertissement. Mes commentaires et opinions ne sont que le reflet de mes expériences de voyage à travers le monde. Vous avez pleinement le droit d'être en désaccord avec moi. »

Je réitère cette mise en garde. Comme vous le savez maintenant, j'ai eu la chance de faire trois fois le tour du monde et de visiter quatre-vingt-dix pays sur la planète. En lisant ce livre, vous avez sûrement remarqué que ce ne sont pas la visite de temples et les musées qui sont ma principale motivation, mais la rencontre des habitants de ces pays. Depuis que je suis tout petit, je m'intéresse à cette « différence ». D'une nature très curieuse, je veux voir et connaître leur mode de vie, leur culture, leurs croyances et leur religion. J'aime admirer la femme indienne portant le sari. J'ai adoré voir les geishas à Kyoto, dans leur merveilleux costume traditionnel. J'aime et je respecte les coutumes et les traditions que je découvre dans chaque pays, c'est ma raison première d'aller les visiter.

À l'étranger, il ne me vient jamais à l'esprit de contredire une croyance religieuse sous prétexte que, selon moi, ce n'est pas logique, ou bien de passer outre à un interdit. Dans les pays que je visite je me plie à toutes leurs exigences: enlever mes souliers avant d'entrer dans une maison ou dans un temple, porter un pantalon plutôt qu'un bermuda pour entrer dans le Grand Palais à Bangkok, m'assurer que ma tête ne dépasse pas en hauteur la statue de Bouddha. Dans certains temples indiens, on exige qu'on enlève notre ceinture de cuir avant de pénétrer à l'intérieur. En Égypte et en Syrie, certaines mosquées ont interdit à ma compagne d'entrer, sans raison valable. C'est leur pays, c'est leur droit et en tant que visiteur, je me fais un devoir de les respecter. Je défends l'identité de tous les peuples chez eux, par contre je m'insurge contre les décisions des gouvernements qui veulent m'imposer, ici, une autre culture que la mienne.

Est-ce trop demander aux immigrants de respecter nos coutumes et nos traditions ?

Pourquoi un enfant d'immigrant, dans mon pays, peut-il entrer à l'école avec un couteau (kirpan), alors que, moi, dans son pays, je ne peux même pas entrer dans son école avec mes souliers ? Où est la logique ?

Pourquoi nos enfants québécois de certains CPE et écoles doivent-ils manger halal ? Pourquoi installer des salles de prières dans les collèges et universités alors que nous, Québécois, avons fait le choix de ne plus fréquenter nos lieux de culte ? Pourquoi mes petits enfants ont des enseignantes qui portent le voile, alors que nous, Québécois, avons fait le choix de sortir la religion de nos écoles ? Bref, pourquoi tous ces accommodements religieux et non raisonnables ? (Lire en annexe « Message à mes amis musulmans », une lettre ouverte publiée dans *La Presse* le 5 septembre 2013.)

Le multiculturalisme canadien

Selon Wikipédia, « Le multiculturalisme canadien est un modèle d'intégration des nouveaux arrivants et de gestion de la diversité ethnoculturelle soutenu par un ensemble de politiques gouvernementales adoptées par le Canada des années 1970 et 1980, par le gouvernement libéral de Pierre Elliott Trudeau. La Chambre des communes a adopté la Loi sur le multiculturalisme canadien le 21 juillet 1988 ».

En voulant faire des Canadiens un peuple ouvert sur le monde, la Loi sur le multiculturalisme est en train de tuer notre propre culture. Le Canada devient ainsi un pays où les immigrants ont tous les droits, où les Canadiens sont multiculturels, mais dépourvus graduellement de leur propre culture. Selon moi, le multiculturalisme, c'est de l'intégration à l'envers. Voici un extrait du livre *Québec cherche Québécois* de Tania Longpré, enseignante en francisation des immigrants, citant une collègue immigrante :

« Elle (une immigrante) affirmait que c'était à la société québécoise de s'adapter à eux comme leur société d'accueil. Un peu surprise, je lui ai alors demandé de m'expliquer pourquoi ce serait à la majorité de s'adapter aux nouveaux arrivants et non l'inverse. Elle m'a répondu, très sérieusement, qu'on l'avait choisie, et qu'on devrait la prendre telle qu'elle était et s'adapter à elle, sa religion, ses coutumes et ses traditions ».

Le plus triste dans cette histoire, c'est qu'on a, ici, au Québec, des bien-pensants et plusieurs politiciens qui pensent exactement comme cette femme immigrante.

Une autre citation de Tania Longpré :

« En dépit de la crise des accompagnements raisonnables de 2007, j'aime toujours me rendre compte que la majorité des immigrants sont contre des pratiques d'intégration par la mollesse et de l'aplaventrisme politique dangereux devant les revendications des intégristes de tous genres. Beaucoup d'entre eux déplorent notre manque de fierté et notre méconnaissance de notre propre histoire. Pourquoi laissons-nous collectivement des morceaux de notre patrimoine s'effriter pour faire tant de place aux autres, et pourquoi préférons-nous le multiculturalisme au nationalisme, alors que, dans la plupart des pays d'origine des néo-Québécois, ce concept n'existe pas ? Étrange de constater à quel point certains se moquent de notre mollesse et souhaitent qu'on s'affirme davantage, comme eux le feraient dans leurs pays ».

En vertu de la Charte, les personnes physiquement présentes au Canada jouissent de nombreux droits civiques et politiques, notamment par l'article 2, liberté de conscience, liberté de religion, liberté de pensée, liberté de croyance.

Comprenez-moi bien : je suis bien d'accord avec toutes ces libertés, mais pourquoi ne pas le faire en privé ? Quelle que soit la religion ou la croyance, ça devrait être une affaire privée. Pourquoi l'imposer aux Canadiens?

Est-ce que Dieu a vraiment le temps de vérifier si la petite musulmane de huit ans porte un hijab quand elle va à l'école? Est-ce que Dieu prend vraiment le temps de vérifier si le maire Tremblay du Saguenay fait sa prière avant les séances de son conseil de ville?

Pour ceux qui seraient tentés de m'apposer l'étiquette de «raciste», je vous rappelle quelques passages de mon livre: mon ex-femme est une Noire d'origine jamaïcaine, j'ai un fils vietnamien, mon meilleur ami et associé est un juif, ma meilleure amie est une juive, j'ai des amis indiens, chinois, thaïlandais et j'ai plusieurs amis musulmans avec qui je discute régulièrement de religion. Faire respecter ses coutumes et ses traditions dans son propre pays, c'est une question de fierté et non de rejet de l'autre ni de raciste.

Vivre au Canada

Je m'en voudrais de terminer ce livre sans vous parler de mon pays (aussi longtemps que les Québécois n'auront pas fait le choix de se séparer du Canada, ce pays reste le mien).

Le Canada est le deuxième plus grand pays du monde par sa superficie, après la Russie. Sa grande diversité de paysages en fait un des plus beaux pays du monde. Mais, c'est par sa qualité de vie et son système démocratique que le Canada fait l'envie d'une grande majorité de gens à travers le monde. Quand, au cours de mes nombreux voyages, je montre mon passeport canadien, je constate à quel point les gens admirent ce pays et aimeraient venir y vivre. Je considère que tous les Canadiens ont gagné à la «loto-planète», car c'est le pays où tout est possible. Avec un peu de bonne volonté, de l'effort de la persévérance, la chance de réaliser nos rêves est meilleure ici que dans n'importe quel autre pays.

J'ai connu un jeune homme qui était laveur de vaisselle dans un restaurant St-Hubert dans les Laurentides ; eh bien, ce jeune homme, travailleur et tenace, est finalement devenu propriétaire de ce restaurant.

Yannick Gervais de Verdun, assisté de sa femme, Marie, a fondé « Les Aventuriers Voyageurs », un organisme qui a pour mission de soutenir et de promouvoir les nouveaux cinéastes et conférenciers passionnés de voyages. Yannick est un bel exemple d'un jeune entrepreneur québécois qui, à partir de rien, a réussi à s'implanter dans plus de vingt cinémas au Québec. Les Jean Coutu, Jean-Marc Chaput, Gaétan Frigon et combien d'autres peuvent être cités en exemple.

Même un cracheur de feu de la ville de Québec a bâti, à partir de rien, un empire, Le Cirque du Soleil, d'une valeur de deux milliards et demi de dollars, la plaçant parmi les personnes les plus riches de la planète, d'après le magazine Forbes.

Pour ceux qui auraient tendance à s'apitoyer sur leur sort, dans un pays où tout est possible, voici un petit poème que j'ai composé pour nos enfants du Québec :

Les enfants esclaves

J'ai vu en Inde des enfants esclaves
Travailler sans sortir de leur enclave
D'une seule main, j'ai vu des enfants mendier
L'autre main, on l'avait mutilée.

En Mongolie, des enfants vivent sous terre
Dans les égouts de la ville, ils se terrent
Leurs parents errent dans les ruelles
À se battre pour une dernière bouteille.

Au Vietnam, on loue des bébés
Aux ivrognes pour mendier
Dans les parcs, l'étranger donne quelques sous
Pour se donner bonne conscience, mais il s'en fout

Au Moyen-Orient, à l'école, les filles ne vont pas aller
On va les marier avant leur puberté
En attendant, les petites vont fabriquer
Ces beaux tapis sur lesquels vous marchez

Si Dieu existe pourquoi a-t-il permis
Que des adultes exploitent les plus démunis
Pourquoi les êtres les plus fragiles de la terre
Sont-ils vendus avant qu'on les enterre

J'ai visité tous les bidonvilles du monde
Et vu des enfants venir à ma rencontre
Le sourire est leur seule richesse
Mais cache une plus grande détresse.

Venir au monde en Inde ou en Afghanistan
N'est pas le meilleur choix pour les enfants
Comment faire comprendre aux enfants de notre pays
Qu'ils partent gagnants pour réussir leur vie.

De la Gaspésie à toute la planète

Je suis un Gaspésien et je suis fier de mes racines. Même si j'ai eu l'occasion de voir les plus beaux paysages de la terre, rien n'est plus touchant et porteur d'émotions pour moi que retourner aux sources et d'aller faire le tour de la Gaspésie. Mes cousins et cousines, mes oncles et mes tantes, que je salue, font partie d'un peuple accueillant et très chaleureux. On raconte que les habitants de ce coin du Québec offrent aux visiteurs un bol de soupe avant de leur demander leur nom.

Parti d'Amqui, à l'âge de huit ans, avec mes parents, j'ai réalisé mon rêve de faire le tour du monde. Plusieurs, avec raison, me trouvent chanceux et, effectivement je le crois. Par contre, il m'arrive de penser qu'il y a des gens, ici même au Québec, qui passent à côté de leurs rêves et même de leur vie. Ils rêvent d'une vie meilleure ou différente, mais, pour toutes sortes de raisons (ou d'excuses), n'osent pas la changer. Ils ont attrapé une maladie que j'appelle la *stacose*. C'est à cause de mon conjoint, de ma femme. C'est à cause de ma job, du syndicat, de mon enfance, du divorce de mes parents, de mon manque d'instruction, de ma maladie... Alouette !

Je rencontre tellement de personnes malheureuses au travail, dans leur vie de couple et parfois dans le quartier où ils habitent. Mais, malheureusement, par manque de courage, ils n'osent pas changer ce qui les rend malheureux. Combien d'employés qui détestent leur travail comptent les années, les mois et même les jours avant l'arrivée de leur retraite ! Ce n'est pas un emploi, c'est ce que j'appelle « une sentence ». Combien de couples ne sont pas faits l'un pour l'autre, ils font ce que j'appelle de « l'endurance ». « Alors chérie, on s'endure jusqu'à quand ? » Marié pour l'éternité... ? C'est long, l'éternité, surtout vers la fin...

Dans la vie, vous avez plus de chance de regretter ce que vous n'avez pas fait plutôt que ce que vous avez fait.

Allez un peu de courage, on n'a pas toute la vie, on a d'autres choses à faire avant de mourir !

Alors votre rêve à vous, où en est-il ?

Annexe

Lettre à mes amis musulmans

À la lecture des commentaires publiés dans les journaux ou les réseaux sociaux, je crois que vous, mes amis musulmans, semblez avoir de la difficulté à comprendre le peuple québécois qui est non seulement en faveur de la charte de la laïcité, mais qui y tient mordicus.

Selon plusieurs d'entre vous et aussi quelques bien-pensants québécois, vous nous percevez comme un peuple xénophobe, à la limite, raciste, alors que c'est totalement faux.

J'aimerais vous amener à réfléchir sur quelques points qui pourraient nous rapprocher et vous aider à comprendre notre réaction vis-à-vis votre présence en sol québécois.

Pour avoir visité le Moyen-Orient et presque tous les pays musulmans, je pense que vous serez d'accord avec moi que le Canada (incluant bien entendu le Québec) est, comparativement à votre pays d'origine, une des nations les plus pacifiques au monde. Souvenez-vous que les Casques bleus sont une création canadienne.

Le peuple québécois déteste la chicane et la confrontation. Il aime la paix. Il peut faire des concessions, mais pas n'importe lesquelles.

Le Québec a été sous l'emprise de l'Église catholique pendant quatre cents ans. J'exagère à peine en disant que l'Église était pour nous l'équivalent des talibans chez vous. Tout comme vos extrémistes islamistes, on nous obligeait à aller prier à l'église sous peine de brûler en enfer. L'alcool était fortement déconseillé, la musique et les films faisaient l'objet de censure. Si les jeunes femmes avaient des relations sexuelles avant le mariage, elles se faisaient renier par leurs parents et étaient jetées à la rue. On leur arrachait leurs enfants des bras pour les confier à des orphelinats dirigés par… l'Église. Pendant ce temps, des religieux abusaient des petits enfants à l'orphelinat ou à l'école.

Il a fallu quatre siècles au peuple québécois pour briser cette domination et rejeter ces dogmes et croyances ridicules. Croyez-vous que nous allons laisser une autre religion entrer dans nos vies et dans l'espace public ? Croyez-vous sincèrement que je suis à l'aise quand l'enseignante de ma petite-fille porte un voile pour lui démontrer sans équivoque sa croyance religieuse : « Tu vois, moi, je suis meilleure que toi, je pratique ma religion ». Et comment pensez-vous que je vais réagir quand on lui imposera la nourriture halal au CPE ou à l'école ?

Nous sommes maintenant un peuple libre, affranchi de la religion. Noyé dans une mer de trois cent soixante-quinze millions de Nord-Américains qui parlent l'anglais, le peuple québécois est fier de dire, encore aujourd'hui, qu'il a conservé sa langue et sa culture. S'il faut se battre encore quatre autres siècles pour avoir un Québec laïque, libéré de toute religion, nous nous battrons. Les Québécois ne se laisseront jamais imposer une culture ou croyance qui va à l'encontre de leurs valeurs. De là la nécessité de la charte des valeurs québécoises.

Alors, je vous tends la main, je vous demande à vous, mes amis musulmans, de vous joindre aux autres immigrants, italiens, chinois, grecs, vietnamiens, latino-américains, qui pratiquent eux aussi leur religion, mais discrètement à la maison. Pourquoi est-ce si facile pour eux et pas pour vous ?

Pour beaucoup d'entre vous, vous avez quitté un pays en guerre ; le Québec vous offre un pays d'accueil, de paix, sans guerre et sans conflit. Un pays où tout est possible. Il suffit de faire comme les autres immigrants et de vous intégrer au Québec. Je suis convaincu que la grande majorité des musulmans vivant au Québec approuve et accepte la charte de la laïcité, je vous demande de vous joindre à nous, vous avez tout à gagner.

Remerciements

Comme vous le savez maintenant, ce livre a été rédigé par un autodidacte. Je suis donc fort reconnaissant à ma tante Carmen, la plus jeune sœur de ma mère, de s'être livrée à une première correction de mon texte.

Merci aussi à mon éditeur, Julien Béliveau, (que j'ai amicalement surnommé monsieur Julien), pour sa rigueur et son talent d'éditeur.

Je vous invite à me faire parvenir vos commentaires à cette adresse :

regardsurlemonde@yahoo.ca

Table des matières

Achevé d'imprimer en mars deux mille quatorze
sur les presses de l'imprimerie Lebonfon,
Val-d'Or (Québec), Canada.